Ю.Г. Овсие

РУССКИЙ ЯЗЫК

Книга 2

Средний этап обучения

4-е издание

Москва
2010

УДК 808.2(075.8)-054.6
ББК 81.2 Рус-923
О34

Овсиенко, Ю.Г.

О34 **Русский язык:** Учебник. Книга 2. Средний этап обучения / Ю.Г. Овсиенко. — 4-е изд. — М.: Русский язык. Курсы, 2010. — 248 с.

ISBN 978-5-88337-082-2

Учебник адресован взрослой аудитории и предназначен для тех, кто продолжает изучать русский язык. Будучи компактным, учебник достаточно информативен: он содержит основные сведения о грамматической структуре предложения, сведения о речевом этикете, обучающий грамматический справочник. Тексты книги содержат социокультурный компонент в комплексе со страноведческими фактами.

Материал учебника даёт возможность для развития диалогической и монологической речи.

Подбор и организация учебного материала, коммуникативная направленность его представления и закрепления служат основной цели: практическому овладению языком как средством общения.

Книга является продолжением известного учебника «Русский язык» для начинающих того же автора.

ISBN 978-5-88337-082-2

Содержание

Предисловие

Учебник «Русский язык», книга 2, является логическим продолжением первой части. Он расширяет и углубляет лексико-грамматический материал, обогащая культурные, страноведческие сведения о стране изучаемого языка, и соответствует Госстандарту программы по русскому языку как иностранному.

Предназначен для широкого круга лиц, имеющих базовую подготовку по русскому языку и продолжающих его изучение (средний этап обучения).

Будучи компактным, учебник достаточно информативен. Он содержит сведения о грамматической структуре предложения, сведения о речевом этикете, синтаксические модели и речевые образцы, обобщающие грамматические таблицы.

Тексты книги интересны, содержательны, в них представлен социокультурный компонент в комплексе со страноведческими фактами, а также лингвострановедческий материал.

Материалы учебника дают возможность для развития диалогической и монологической речи учащихся.

Подбор и организация учебного материала, коммуникативная направленность его представления и закрепления служат основной цели: практическому овладению языком как средством общения.

Учебник состоит из 14 уроков. Каждый урок включает основной текст, грамматическую тему, краткие сведения к ней, лексико-грамматические упражнения с включением основной лексики и грамматики, а также пословицы, поговорки и фразеологизмы по теме урока.

Дополнительные тексты служат в основном закреплению лексики и грамматики основных разделов и расширению сведений культурологического характера.

Занятия по этому учебнику дадут учащимся возможность продуктивно и с удовольствием совершенствовать свои знания и умения по русскому языку.

В заключение следует сказать, что учебник написан известным методистом, много лет работающим с иностранными учащимися разных национальностей, изучающими русский язык.

От редакции

СПИСОК СОКРАЩЕНИЙ

Вин. п. — Винительный падеж
Дат. п. — Дательный падеж
ж — женский род
Им. п. — Именительный падеж
инф. — инфинитив
м — мужской род
мн — множественное число
несов — несовершенный вид
Предл. п. — Предложный падеж
Род. п. — Родительный падеж
сов — совершенный вид
Твор. п. — Творительный падеж

УРОК 1

Лондон. Биг-Бен

Читаем тексты

Вам знакомы эти слова?
Уточните их значение по словарю и переведите на родной язык.

приключе́ние
путеше́ствие
путеше́ственник
регистрату́ра
регистра́ция
слу́жащий

неуве́ренно
обознача́ть | *что? как?*
обозна́чить | *что? как?*
звук
кста́ти

Удивительные приключения мистера Айвеноу

Рассказывают, что однажды в Англию приехал русский путешественник. Он немного знал английский язык, мог объясниться по-английски. Фамилия у него была самая обычная — Иванов. Когда он приехал в гостиницу, в регистратуре он написал свою фамилию латинскими буквами, как это делал в других странах: Ivanow.

Однако утром он очень удивился, когда служащий гостиницы поздоровался с ним:

— Доброе утро, мистер Айвеноу.

«Странно, — подумал Иванов, — я ведь точно написал: Ivanow. Может быть, по-английски это трудно произносить? Айвеноу по-английски лучше, чем Иванов? Ну что ж, мне всё равно», — решил Иванов. В регистратуре он попросил журнал регистраций и вместо Ivanow он написал Ayvenou.

Когда вечером он вернулся в гостиницу, служащий как-то странно посмотрел на него и сказал неуверенно:

— Добрый вечер... мистер Эйвену.

«Что это значит, — подумал Иванов, — сегодня им уже не нравится Айвеноу. Нет, здесь что-то не так, нужно поговорить с английским филологом». Он нашёл в телефонной книге телефон и адрес профессора по фамилии Knife. Они встретились.

— Добрый день, мистер Книфе, — вежливо сказал Иванов.

— Добрый день, — ответил профессор, — но не Книфе, а Найф.

— Найф? — удивился Иванов. — Но тут написано...

— О, — засмеялся профессор. — Написано! Но ведь вы в Англии. Мы пишем одно, а говорим совсем другое. Букву **k** перед **n** мы не произносим, а букву **i** произносим как «ай».

— Всегда? — спросил Иванов.

— Нет, совсем не всегда, — ответил профессор. — В начале слова она произносится как **и**: **«imtate, if»**.

— Всегда? — опять спросил Иванов.

— Нет, конечно. Например, слово **«ice»** — лёд — произносится «айс», **«icon»** — икона — произносится «айкон».

— А как же вы обозначаете звук **и**?

— Звук **и**? Есть много способов. Иногда буквой **i**, кстати, она у нас называется «ай», например: **«inkrease»** — возрастать — произносится **«инкрис»**. Иногда **и** обозначается буквой **e** (эту букву мы называем **и**). Вот слово **«evening»** — вечер — мы произносим «ивнинг». Первое **e** мы читаем как **и**, второе **e** мы не произносим, а последнее **i** читаем как **и**. В слове «**sleep**» два **e** мы произносим как **и**: **«слип»**. И вы уже заметили, что в слове «**increase**» сочетание **ea** тоже произносится как **и**. Букву **a** мы называем **«эй»**. Иногда **и** обозначается буквой **y**, которая у нас называется «уай», например: «**many**» — много — произносим «мэни». Или ещё пример...

— Достаточно, достаточно, — закричал Иванов, — благодарю вас.

И поспешил попрощаться с профессором.

По Л. Успенскому

Задание к тексту

1. Расскажите историю, которая произошла с русским путешественником.
2. Можете ли вы назвать русские слова, которые произносятся не так, как они пишутся?
3. Любите ли вы путешествия? Расскажите, где вы побывали, что вам понравилось.
4. Прочитайте высказывание о путешествиях. Согласны ли вы с ним?

> Мир — это книга, и те, кто не путешествует, читают лишь одну её страницу.
>
> *Августин Блаженный*

На уроке грамматики

На уроке грамматики учитель спрашивал учеников. Тема урока была «Имя существительное». Один ученик, отвечая на вопрос учителя, как изменяется существительное, ответил:

— Существительное изменяется по родам, числам и падежам.

— Какого рода слово «автомобиль»?

— Мужского.

— Как будет множественное число этого слова?

— «Автомобили».

— А родительный падеж единственного и множественного числа?

— «Из автомобиля», «из автомобилей».

— Хорошо. А теперь скажи мне, как в женском роде будет это слово?

— «Машина», — быстро ответил ученик.

Ответ учителю понравился, и он продолжал:

— А женский род слова «поезд»?

— «Электричка».

— Рисунок?

— «Картинка».

— Фильм?

— «Картина».

— Диван?

— «Тахта».

— Флакон?

— «Бутылка».

— Забор?

— «Ограда».

Все уже поняли, что идёт игра. Каждый ученик старался найти близкую по смыслу пару слов мужского и женского рода: **дом — изба, платок — косынка**.

Игра понравилась. Дети поняли, что русский язык — предмет интересный. И теперь, когда учитель задавал вопросы, в работу включался весь класс. Вопросов было много. Например, какая разница между глаголами **смотреть** и **видеть**, **слушать** и **слышать**, **попросить** и **спросить** или глаголами **любоваться** и **восхищаться** или **разбить — сломать — разрушить**.

А вы можете ответить на эти вопросы?

Задание к тексту

1. Сможете ли вы ответить, какая разница между глаголами, которые назвал преподаватель?
2. Какая разница между такими словами, как **дом** и **изба**, **платок** и **косынка**?
3. В каком значении слова **фильм** и **картина** являются синонимами, а в каком нет?
4. Прочитайте шутку «Синоним».

Синоним

Учитель спрашивает:

— Что такое синоним?

Ученик отвечает:

— Синоним — это такое слово, которое употребляют, когда не знают, как написать правильно другое.

Глаголы с частицей *-ся*

Глаголы общевозвратного значения

Переходные глаголы		Непереходные глаголы	
	что?		
Я возвращаю	**книгу**.	**Я**	возвращаюсь домой.
Я открываю	**дверь**.	**Дверь**	открывается.
Действие переходит на объект.		Действие сосредоточено на субъекте.	

возвращать — возвращаться
закрывать — закрываться
изменять — изменяться
интересовать — интересоваться
кончать — кончаться
начинать — начинаться
открывать — открываться
отправлять — отправляться
останавливать — останавливаться
прекращать — прекращаться
продолжать — продолжаться
пугать — пугаться
удивлять — удивляться
учить — учиться

Глаголы страдательного значения (пассивные глаголы)

Актив			Пассив		
Им. п.		*Вин. п.* ***что?***	*Им. п.*		*Тв. п.* ***кем?***
Рабочие	строили строят будут строить	больницу.	Больница	строилась строится будет строиться	рабочими.
		Вин. п. ***что?***			*Им. п.* ***что?***
Здесь	строили строят будут строить	больницу.	Здесь	строилась строится будет строиться	больница.

Примечание. Если в активной конструкции есть субъект действия в именительном падеже **(рабочие)**, то в пассивной конструкции он употребляется в творительном падеже **(рабочими)**. Объект действия активной конструкции в винительном падеже **(больницу)** будет грамматическим субъектом в именительном падеже пассивной конструкции **(больница)**.

Глаголы общевозвратного значения, которые не употребляются без *-ся*

бороться	оставаться	смеяться
гордиться	ошибаться	становиться
надеяться	появляться	улыбаться
находиться	пытаться	являться

Глаголы взаимовозвратного значения

Переходные глаголы	Непереходные глаголы
Я часто встречаю **его**.	Я часто встречаюсь **с ним**.

видеть *кого?*	видеться *с кем?*
встречать *кого?*	встречаться *с кем?*
знакомить *кого? с кем?*	знакомиться *с кем?*
обнимать *кого?*	обниматься *с кем?*
советовать *кому? что (сделать)?*	советоваться *с кем?*
целовать *кого?*	целоваться *с кем?*

Некоторые глаголы взаимовозвратного действия, которые не употребляются без *-ся*

здороваться *с кем?*	договариваться *с кем?*
прощаться *с кем?*	мириться *с кем?*
бороться *с кем?*	расставаться *с кем?*

Глаголы взаимного действия без частицы *-ся*

беседовать *с кем?*	сотрудничать *с кем?*
дружить *с кем?*	спорить *с кем?*
разговаривать *с кем?*	

Упражнения

I. Прочитайте предложения, обратите внимание на употребление переходных и возвратных глаголов.

1. Выставку уже закрыли.	Выставка уже закрылась.
2. Профессор продолжал лекцию.	Лекция продолжалась.
3. Он удивил меня.	Я удивился.
4. Мы отправили детей в санаторий.	Мы отправились в путь.
5. Мы изменили наш маршрут.	Наш маршрут изменился.
6. Я открыл дверь.	Дверь открылась.

II. Употребите нужный по смыслу глагол в правильной форме.

1. Машина **...** около гостиницы.	остановить
Подъехав к дому, он **...** машину.	остановиться
2. Дверь **...** , и хозяин пригласил его войти.	открыть
В комнате было жарко, и он **...** окно.	открыться
3. Иванов **...** в гостиницу поздно.	вернуть
Он **...** журнал регистрации служащему.	вернуться
4. Его **...** некоторые проблемы.	интересовать
Он **...** этой проблемой.	интересоваться
5. Иванов и профессор **...** разговор.	продолжать
Их разговор **...** два часа.	продолжаться
6. Как вы **...** звук **и**?	обозначать
Иногда звук **и** **...** буквой **е**.	обозначаться
7. В начале слова мы **...** эту букву как **и**.	произносить
А здесь эта буква **...** как **ай**.	произноситься
8. Я **...** работать в 9 часов.	начинать
Занятия в университете **...** в 9 часов.	начинаться

III. Употребите глагол нужного вида в правильной форме.

1. Он долго **...** к экзаменам и поэтому сдал все экзамены хорошо.	готовиться подготовиться
Андрей хорошо **...** к этому экзамену и получил «отлично».	
2. — Когда **...** магазин?	закрываться
— В 7 часов, а сейчас 8, значит, он уже **...** .	закрыться

3. Не ... только тот, кто ничего не делает. Таня ... и дала мне старый номер телефона, сейчас я не могу позвонить ей.	ошибаться ошибиться
4. Обычно в субботу он ... дома с младшим братом, но сегодня его пригласили на день рождения, и дома ... его сестра.	оставаться остаться
5. Я поздоровался с ней, она ... мне и продолжала что-то писать. Она слушала его и	улыбаться улыбнуться

IV. Употребите нужный по смыслу глагол в правильной форме.

1. Путешественник ... с профессором. Он попросил, чтобы его ... с профессором.	познакомить познакомиться
2. В регистратуре он ... со служащим гостиницы. Утром его ... тот же служащий.	встретить встретиться
3. Ему ... поговорить об этом с профессором. Он решил ... с профессором-филологом.	посоветовать посоветоваться
4. Мы давно не ... с ним и были рады друг другу. Раньше я часто ... его в университете.	видеть видеться
5. Они встретились на вокзале и крепко ... . Андрей крепко ... друга и сказал, что очень рад его видеть.	обнять обняться
6. Мать ... сына и пожелала ему спокойной ночи. Когда сын уезжал, они с матерью ... , и сын пообещал часто писать ей.	поцеловать поцеловаться

V. Закончите фразы.

1. Меня очень интересует ... 2. Он давно интересуется ... 3. Мы поздоровались ... 4. Я не хочу спорить ... 5. Эта фирма сотрудничает ... 6. Вы можете договориться о встрече ... 7. Он закончил разговор и попрощался ... 8. Я давно мечтал отправиться ...

VI. Употребите нужный по смыслу глагол в правильной форме.

1. Профессор ... лекцию, рассказав интересную историю из своей практики. Лекция ... ровно в 11 часов.	начинать начинаться

2. Этот концерт ... три часа. Певец исполнил несколько песен, которые понравились публике и ... петь.	продолжать продолжаться
3. После того как профессор ... свои объяснения, турист задал ему ещё один вопрос. После того как беседа их ... , турист поблагодарил профессора и вернулся в гостиницу.	закончить закончиться

VII. Прочитайте текст, выберите нужный по смыслу глагол, употребите его в правильной форме.

Я давно не видел друга, с которым вместе ... в институте. И наконец мы ... . Он приехал в Москву, и я ... его на вокзале. Приехав домой, мы поговорили и решили лето провести вместе. Долго думали, куда нам ... : на юг, на север. Друг ... поехать на север, ведь на юге мы часто бывали.

На севере недалеко от города Петрозаводска живёт его тётя. Мы ... ей телеграмму. Решили ... у неё, и потом начать путешествие.

Путешествие наше оказалось очень интересным, и мы решили на следующий год ... наш маршрут.

(учить — учиться, встретить — встретиться, отправить — отправиться, посоветовать — посоветоваться, остановить — остановиться, продолжить — продолжиться)

VIII. а) Употребите местоимение **свой** или **его** в нужной форме.

Путешественник, приехавший в Англию, записал ... фамилию в журнал регистраций. Утром служащий гостиницы произнёс ... фамилию очень странно. Путешественник взял журнал регистраций и написал ... фамилию по-другому. Но служащий опять не смог произнести ... фамилию. Тогда путешественник решил поговорить с профессором-филологом, однако на ... вопрос он не смог получить понятный ему ответ. Профессор долго отвечал на ... вопросы, но путешественник так ничего и не понял.

б) Употребите местоимение **свой** или **её** в нужной форме.

Моя подруга летом поехала на юг к ... родителям. Она часто рассказывала мне о ... родителях, говорила, что ... родители приглашают меня приехать к ним. Вчера я звонила ... подруге и сказала, что благодарю ... родителей за приглашение и постараюсь приехать.

IX. Употребите глаголы **просить (попросить)** или **спрашивать (спросить)** в нужной форме.

1. Учитель ... , что такое синоним.
   Он ... учеников назвать синоним слова **фильм**.
2. Учитель ... объяснить, какая разница между глаголами **разбить** и **сломать**.
   Ученик ... , как произносится эта буква.
3. Сестра ... меня позвонить ей вечером.
   Она часто ... меня о моих занятиях.
4. Турист ... , есть ли в гостинице свободные номера.
   Он ... журнал регистраций.
5. Студент ... профессора, почему это слово произносится не так, как пишется.
   Он ... объяснить ему это правило.
6. Андрей ... у меня новый журнал.
   Он ... меня, когда он должен вернуть журнал.

X. Прочитайте текст, обратите внимание на употребление глаголов **смотреть (посмотреть) — видеть (увидеть)**.

Каждое утро, когда я провожаю младшую дочь в школу, мы проходим мимо большого дерева у входа в школу. Однажды ранней весной дочь остановилась, показала мне на дерево и сказала: «Мама, **смотри**!» Я **посмотрела** и ничего не **увидела**.

Дочь повторила: «Ну, **посмотри**, мама, **посмотри**!» Я опять **посмотрела** на дерево и опять ничего не **увидела**. «Мама, ну как же ты не **видишь**, на дереве скоро появятся листочки». Я **посмотрела** внимательно и **увидела** маленькие почки, из которых действительно скоро появятся первые листочки. Я подумала, что дочь, а может быть, все дети **видят** больше, чем мы, взрослые. Они открывают мир.

XI. Употребите глаголы **смотреть (посмотреть) — видеть (увидеть)** в нужной форме.

1. Он ... в окно и ... , что около дома остановилась машина.
2. Я очень хочу ... балет «Лебединое озеро».
3. Где ты был вчера, мы не ... тебя на лекции.
4. — Внимательно ... на доску, — сказал учитель. — ... , как правильно пишется это слово.
5. Я вошёл в комнату и ... на столе письмо.
6. Мы долго ... альбом его фотографий.
7. Мой отец плохо ... и не может читать без очков.

Для самостоятельного чтения

Корень

В глаголе *вынуть* исчез корень. Все другие части слова остались на месте: и приставка *вы-*, и суффикс *-ну-* , и конечное *-ть*. А корень исчез.

Это был древний корень *-им-*, который существовал в самых разных словах русского языка: *иметь, снимать*, *поднимать* и многих других. Сохранился этот корень в глаголе несовершенного вида *вынимать.* Но он исчез при образовании совершенного вида.

— Странное усовершенствование! — недовольно заявило конечное *-ть.*

— Но может быть, с корнем что-то случилось, — сказала Приставка.

— Со всеми что-то случается, — ответило *-ть.* — Но предупреждаю, я за него работать не буду. У меня и так много работы.

— Не нужно ссориться, — сказал Суффикс. — Ясно одно — мы должны поработать за него.

— Конечно, — согласилась Приставка.

Приставка и Суффикс дружно взялись за дело и с успехом заменили корень слова. Им помогло окончание: *выну, вынешь, вынет, вынут*, — кажется всё на месте.

Никто теперь и не заметит, что в слове *вынуть* нет корня.

По Ф. Кривину

Высказывания о языке, о слове

Язык — одежда мыслей.

Самюэль Джонсон

Обращаться со словом нужно честно. Оно есть высший подарок Бога человеку.

Н.В. Гоголь

Язык — самое опасное оружие: рана от меча легче залечивается, чем рана от слова.

Кальдерон

Много говорить и много сказать — не одно и то же.

Софокл

Слово — дело великое. Великое потому, что словом можно соединить людей, словом можно разъединить их...

Л. Толстой

Кто не знает иностранных языков, тот ничего не знает о своём собственном.

В. Гёте

Тот, кто жизнью живёт настоящей,
К настоящему чувству привык,
Вечно верует в животворящий
Полный разума русский язык.

Н. Заболоцкий

История языка неразрывно связана с историей народа, говорящего на нём.

А. Грин

Нет магии сильнее, чем магия слов.

А. Франс

УРОК 2

Н.И. Пирогов

Читаем тексты

Вам знакомы эти слова?

Уточните их значение по словарю и переведите на родной язык.

чуде́сный
накану́не *чего?*
витри́на
блю́до
ба́нка (ба́ночка)
заку́ска
великоле́пный
подва́л
ужа́сный
сбереже́ния *мн*
пыта́ться / **попыта́ться** — *что (с)делать?*
швейца́р
пуска́ть / **пусти́ть** — *кого? куда?*

уда́рить *сов. кого?*
напра́сно
наде́яться *несов на кого? на что?*
скаме́йка
подви́нуться *сов.*
моро́з
моро́зно
ска́зка

***

умира́ть / **умере́ть** — **с голоду**
Дай Бог!
наступа́ющий год
Каки́е пустяки́!

Чудесный доктор

В морозный вечер накануне Нового года два мальчика стояли перед витриной гастронома. За стеклом витрины были целые горы яблок, апельсинов, мандаринов. На больших блюдах лежали огромные рыбы, слева и справа от них висели колбасы, а вокруг стояли баночки с разными закусками. Мальчикам было холодно, но они не могли отойти от витрины, где всё было так богато, красиво и вкусно.

Наконец старший мальчик сказал:

— Пойдём, Володя.

Мальчики с утра ничего не ели. Они последний раз посмотрели на эту великолепную выставку продуктов и побежали по улице. Иногда в окнах домов они видели нарядную ёлку и даже слышали звуки музыки, но они продолжали свой путь.

Широкие светлые улицы с прекрасными магазинами и нарядными людьми кончились. Мальчики шли по тёмным, узким и грязным улицам. Они вошли в старый дом и спустились по тёмной лестнице в подвал. Нашли в темноте свою дверь и открыли её.

Уже больше года Мерцаловы жили в этом подвале. Это был ужасный год для их семьи. Сначала заболел и потерял работу отец. На лечение отца ушли все их сбережения. Начали болеть дети. Три месяца назад умерла одна из дочерей. Сейчас была тяжело больна семилетняя Машенька. В доме не было денег ни на лекарства, ни на еду.

Мальчики вошли в холодную комнату. На кровати около больной девочки лежала мать, пытаясь согреть своим телом дочь. Услышав, что дети вернулись, мать посмотрела на них.

— Ну что, — спросила она, — вы отдали письмо?

Мальчики ходили к бывшему хозяину отца с письмом, в котором отец просил немного денег. Но швейцар не пустил их в дом и не взял письмо. Старший мальчик в ответ на вопрос матери положил на стол письмо.

— Вот оно письмо, швейцар не пустил нас. А Володю ещё и ударил.

В это время в комнату вошёл отец. Он тоже весь день бегал по городу, пытаясь где-нибудь получить немного денег. Но всё напрасно. Посидев немного в холодной комнате, Мерцалов встал и подошёл к двери.

— Куда ты? — спросила жена.

— Пойду ещё, сидя здесь я ничего не получу, — ответил Мерцалов.

Выйдя на улицу, он медленно пошёл вперёд. Он уже ни на что не надеялся. Мерцалов не заметил, как дошёл до старого парка в центре города. Он вошёл в парк и сел на скамейку. Вокруг было тихо. «Хорошо бы лечь и заснуть, — думал Мерцалов, — и забыть о жене, о голодных детях, о больной Машеньке». Вдруг он услышал, что кто-то идёт. Это был невысокий старый человек в тёплом пальто и шапке. Он подошёл к скамейке и спросил:

— Вы разрешите мне сесть?

Мерцалов ничего не ответил, но подвинулся, освобождая место.

— Ночь какая прекрасная, — сказал незнакомец. — Тихо, морозно. Я люблю русскую зиму. — Голос у него был мягкий, добрый.

— Я вот знакомым детям подарки купил, — продолжал он.

— Подарки! Подарки! — вдруг закричал Мерцалов. — А у меня дома дети с голоду умирают, больной дочке я не могу купить лекарство… Подарки!

— Подождите… не волнуйтесь! Расскажите мне всё.

Посмотрев на доброе лицо незнакомца, Мерцалов сразу поверил ему и рассказал свою историю. Как он потерял работу, как умерла одна дочь и тяжело заболела другая.

Незнакомец быстро встал и взял Мерцалова за руку.

— Едемте! — сказал он. — Едемте скорее! Счастье ваше, что вы встретились с врачом.

Минут через десять они уже входили в подвал. Доктор быстро снял пальто и подошёл к кровати, на которой лежали мать и дочь.

— Не нужно плакать, — сказал он, увидев слёзы на лице матери. — Покажите мне лучше вашу больную.

Добрый голос доктора поднял мать с кровати. Дальше всё было, как в сказке. В доме появилось тепло и еда. А доктор, осмотрев больную девочку, быстро писал что-то на листке бумаги. Потом он сказал Мерцалову:

— С этим листком вы пойдёте в аптеку, получите лекарство. Завтра вы пригласите доктора Афросимова, он опытный врач и хороший человек. Я скажу ему о вас. Ну а теперь прощайте! Дай Бог, чтобы наступающий год принёс вам счастье!

Доктор быстро надел пальто и вышел. Мерцалов побежал за ним, но в тёмном коридоре ничего не было видно.

— Доктор! Доктор, подождите! Скажите мне ваше имя, доктор! Кого мы должны благодарить

— Э! Какие пустяки! — услышал Мерцалов голос доктора. — Возвращайтесь домой скорее!

Когда Мерцалов вернулся в комнату, его ждал ещё один сюрприз: под рецептом доктора лежали деньги. В тот же вечер Мерцалов узнал фамилию чудесного доктора. На коробке с лекарством было написано: «По рецепту профессора Пирогова».

По А.И. Куприну

Задание к тексту

1. Расскажите историю, которую вы прочитали.
   1) Что случилось в семье Мерцаловых?
   2) Почему мальчики ходили к бывшему хозяину отца?
   3) Кого встретил отец в городском парке?
   4) Как помог семье чудесный доктор?

2. Прочитайте афоризмы Гельвеция и Платона. Помогают ли эти афоризмы понять смысл рассказа?

> Заботясь о счастье других, мы находим своё собственное.
>
> *Платон*

> Человек, делающий других счастливыми, не может сам быть несчастным.
>
> *Гельвеций*

Грамматика

Деепричастие

> **Прочитав биографию Пирогова**, вы узнаете много интересного об этом чудесном докторе.

Деепричастие выражает дополнительное действие и, подобно наречию, является неизменяемой глагольной формой.

Образование деепричастия

Несовершенный вид	Совершенный вид
суффиксы **-я, -а**	суффиксы **-в, -вши-**
(они) **читa**ют — чита**я** (они) **слыш**ат — слыш**а** (они) **занима**ются — занима**я**сь	**прочита**ть — прочита**в** **услыша**ть — услыша**в** **заня**ться — заня**вши**сь

Примечание. Деепричастия несовершенного вида образуются от основы настоящего времени при помощи суффиксов **-я, -а**.

У глаголов с основой **да-, ста-, зна-** деепричастия несовершенного вида образуются от основы инфинитива: **давать — давая, вставать — вставая** и т.д.

От глаголов модели **писать** деепричастия несовершенного вида не образуются.

Примечание. Деепричастия совершенного вида образуются от основы инфинитива при помощи суффикса **-в**.

От глаголов с инфинитивом на **-зти (-зть), -сти (-сть)** и от глаголов модели **идти** деепричастия совершенного вида образуются при помощи суффикса **-я**: **принести — принеся, прийти — придя** и т.д.

От возвратных глаголов деепричастия совершенного вида образуются с помощью суффикса **-вши: вернуться — вернувшись**.

Предложения с деепричастными оборотами могут быть заменены сложными предложениями: **Окончив институт**, он вернулся на родину. Он окончил институт и вернулся на родину. (Когда он окончил институт, он вернулся на родину.)

Последовательность действий

Он читал, **сидя за столом**. — Действия происходят одновременно.

Прочитав статью, он отдал журнал мне. — Одно действие предшествует другому. (Сначала прочитал, потом отдал.)

Причастие

К профессору пришли студенты,
поздравившие его с юбилеем.

Причастия определяют имя существительное и отвечают на **вопрос какой? (какая? какое? какие?)**. Как и имена прилагательные, они изменяются по родам, числам и падежам, согласуясь с определяемым ими существительным: Врач, **выписавший рецепт**, был профессор Пирогов. Он подошёл к больной девочке, **лежавшей на кровати**.

Образование причастий

Залог	Настоящее время		Прошедшее время
Действительный	I спряжение суффиксы **-ущ- (-ющ)-**	II спряжение суффиксы **-ащ- (-ящ)-**	суффикс **-вш-**
	пиш**ущ**ий чита**ющ**ий	держ**ащ**ий люб**ящ**ий	писа**вш**ий (написа**вш**ий) люби**вш**ий (полюби**вш**ий)
Страдательный	I спряжение суффикс **-ем-**	II спряжение суффикс **-им-**	суффиксы **-енн-, -нн-, -т-**
	чита**ем**ый	люб**им**ый	постро**енн**ый прочита**нн**ый откры**т**ый

Действительные причастия (активные)

Действительные причастия настоящего времени образуются от основы глаголов настоящего времени с помощью суффиксов **-ущ- (-ющ-)** для глаголов I спряжения и суффиксов **-ащ- (-ящ-)** для глаголов II спряжения:

(они) читают — чита**ющ**ий,

(они) говорят — говор**ящ**ий.

Действительные причастия прошедшего времени образуются от основы инфинитива глаголов совершенного и несовершенного вида с помощью суффикса **-вш-:**

читать — чита**вш**ий, прочитать — прочита**вш**ий.

От глаголов моделей **идти, нести, помочь** и некоторых других, имеющих нерегулярную форму прошедшего времени, причастия прошедшего времени образуются с помощью суффикса **-ш-:**

шёл — шед**ш**ий, пришёл — пришед**ш**ий, нёс — нёс**ш**ий, принёс — принёс**ш**ий, помог — помог**ш**ий, привык — привык**ш**ий.

Страдательные причастия (пассивные)

Страдательные причастия образуются только от переходных глаголов.

Страдательные причастия настоящего времени образуются от основы глаголов настоящего времени с помощью суффикса **-ем-** для глаголов I спряжения и суффикса **-им-** для глаголов II спряжения:

(мы) читаем — чита**ем**ый, (мы) — любим — люб**им**ый.

Страдательные причастия прошедшего времени образуются от основы инфинитива при помощи суффикса **-енн-** у глаголов с основой на **-ить, -еть:**

купить — купл**енн**ый, построить — постро**енн**ый, увидеть — увид**енн**ый;

при помощи суффикса **-нн-** у глаголов с основой **-ать (-ять):**

прочитать — прочита**нн**ый

и при помощи суффикса **-т-** у глаголов моделей:

взять, начать, пить, забыть, открыть, петь: взя**т**ый, нача**т**ый, выпи**т**ый, забы**т**ый, откры**т**ый, спе**т**ый.

Причастный оборот

Здесь живут рабочие, **строящие этот завод**.

(которые строят этот завод)

Здесь живут рабочие, **построившие этот завод**.

(которые построили этот завод)

Это школа, **построенная недавно.**

(которую построили недавно)

Причастный оборот можно заменить придаточным предложением со словом **который**.

Употребление действительных и страдательных причастий

Я знаю **писателя, написавшего** этот роман.	Я читал **роман, написанный** этим писателем.
Это **рабочие, построившие** новую больницу.	Это новая **больница, построенная** рабочими.
Я знаю **поэта, переведшего** эти стихи.	Я читал **стихи, переведённые** этим поэтом.

Упражнения

I. Прочитайте предложения. Обратите внимание на употребление деепричастия и конструкций с деепричастием.

1. Мальчики, стоя перед витриной магазина, смотрели на горы продуктов.
2. Идя по улице, они видели в окнах домов нарядные ёлки.
3. Сидя в парке, он думал о своей жизни.
4. Посмотрев в последний раз на витрину, они побежали по улице.
5. Услышав, что дети вернулись, мать посмотрела на них.
6. Посидев немного в комнате, отец встал и пошёл к двери.
7. Осмотрев больную девочку, доктор выписал рецепт.

II. Употребите нужное по смыслу деепричастие.

1. Врач, … за столом, что-то писал. … за стол, он выписал рецепт.	сидя — сев
2. … пальто, он смотрел на больную девочку. … пальто, он подошёл к кровати.	снимая — сняв
3. Часто … к внукам, он приносил им подарки. … к внукам, он принёс им подарки.	приходя — придя
4. Тяжело … , отец потерял работу. Долго … , он всё время принимал это лекарство.	болея — заболев
5. Врач помогал больным, не … денег за лечение. … рецепт, он пошёл в аптеку.	беря — взяв
6. Пирогов много работал, … новые методы лечения. Он получил мировую известность, … анатомический атлас.	создавая — создав

III. Измените предложения по образцу.

а) Образец: Отец целый день бегал по городу, пытаясь получить немного денег.
Отец целый день бегал по городу и пытался получить немного денег.

б) Образец: Вернувшись домой, он увидел, что дети уже дома.
Когда он вернулся домой, он увидел, что дети уже дома.
(Он вернулся домой и увидел, что дети уже дома.)

1. Занимаясь анатомией, он создал анатомический атлас.
2. Посмотрев на доброе лицо незнакомца, Мерцалов сразу поверил ему.
3. Выйдя на улицу, он медленно пошёл вперёд.
4. Быстро встав, незнакомец взял Мерцалова за руку.
5. Он читал лекции, продолжая заниматься врачебной практикой.
6. Отмечая юбилей врача и учёного, все поздравляли «чудесного доктора».
7. Заботясь о счастье других, мы находим своё собственное.
8. Подойдя к столу, Пирогов блестяще сделал операцию.
9. Разговаривая с профессором, он очень волновался.

IV. Измените предложения по образцу.

а) Образец: Мальчик ничего не ответил и положил на стол письмо.
Ничего не ответив, мальчик положил на стол письмо.
Мальчик ничего не ответил, положив на стол письмо.

б) Образец: Она сидела за столом и что-то писала.
Сидя за столом, она что-то писала.

1. Доктор сидел рядом и внимательно слушал рассказ отца.
2. Он быстро шёл по улице и ничего не замечал.
3. Она сняла пальто и повесила его в шкаф.
4. Когда он окончил институт, он вернулся в свой город.
5. Профессор улыбнулся и поздоровался со студентами.
6. Шофёр увидел знакомый дом и остановил машину.
7. Когда Андрей приехал в Петербург, он сразу позвонил друзьям.
8. Друзья встретились и решили этот день отметить.
9. Она услышала звонок и подошла к телефону.

V. Употребите с одним из двух предложений деепричастный оборот, объясните, почему его нельзя употребить с другим.

1. Он занимался врачебной практикой. Ему было трудно.	работая в академии
2. Она ждала звонка. Ей нужно было дождаться звонка.	сидя у телефона
3. Ему необходимо было создать новые методы лечения. Он создал новые методы лечения.	участвуя в войне в качестве врача
4. Многим пациентам нужна была его помощь. Много пациентов приходило к нему.	узнав об этом докторе
5. Мне нужно было уйти из библиотеки. Я ушёл из библиотеки.	взяв эту книгу

VI. Употребите нужное по смыслу деепричастие, образовав его из данных глаголов.

Образец: … русский язык, он много читал по-русски. Изучая русский язык, он много читал по-русски. … русский язык, он стал переводить серьёзные статьи. Изучив русский язык, он стал переводить серьёзные статьи.	изучать — изучить

1. Часто … в Москву, он встречался со старыми друзьями. … в Москву, он встретился со старыми дузьями.	приезжать — приехать
2. … письмо, он быстро прочитал его. … письма из дома, он аккуратно отвечал на них.	получать — получить
3. Она серьёзно занималась, редко … на занятия. … на занятия, студент остановился у двери в аудиторию.	опаздывать — опоздать
4. Ничего не … , он повторил свой вопрос. Хорошо … по-английски, он мог свободно разговаривать.	понимать — понять
5. … новый текст, он часто смотрел в словарь. … текст, он отдал словарь товарищу.	переводить — перевести
6. Мой друг отправился в путешествие, … меня и мою сестру. Он любил путешествовать, часто … меня поехать с ним.	приглашать — пригласить

3 – 603

VII. Закончите фразы.

1. Вернувшись домой, ... 2. Позвонив другу, ... 3. Сдав все экзамены, ... 4. Начав работать в больнице, ... 5. Продолжая заниматься врачебной практикой, ... 6. Поздоровавшись с незнакомым человеком, ... 7. Познакомившись друг с другом, ... 8. Читая английские журналы, ... 9. Помогая больным, ... 10. Приехав в Москву, ...

VIII. Прочитайте предложения. Обратите внимание на употребление придаточного предложения со словом **который** и причастных оборотов.

а) 1. Здесь живёт врач, 2. Он был у врача, 3. Он ходил к врачу, 4. Я хорошо знаю врача, 5. Я познакомился с врачом, 6. Она спросила меня о враче,	который работает в нашей поликлинике.

б) 1. Здесь живёт врач, работающий в нашей поликлинике.
2. Он был у врача, работающего в нашей поликлинике.
3. Он ходил к врачу, работающему в нашей поликлинике.
4. Я хорошо знаю врача, работающего в нашей поликлинике.
5. Я познакомился с врачом, работающим в нашей поликлинике.
6. Она спросила меня о враче, работающем в нашей поликлинике.

IX. Дополните предложения, употребив данные причастия в нужной форме.

а) 1. Это иностранный турист, 2. Мы были у туриста, 3. Он дал карту города туристу, 4. Он встретил туриста, 5. Мы поздоровались с туристом, 6. Мы говорили о туристе,	а) живущий в новой гостинице б) посетивший наш город
б) 1. В Москве живёт его сестра, 2. Он получил письмо от сестры, 3. Вчера он звонил своей сестре, 4. Я знаю его сестру, 5. Он познакомил меня с сестрой, 6. Он рассказал мне о своей сестре,	а) читающая лекции в институте б) приезжавшая к нему недавно

X. Измените предложения по образцу.

а) Образец: Это девушка, которая занимается в нашей группе.
Это девушка, занимающаяся в нашей группе.

б) Образец: Это девушка, которая занималась в нашей группе.
Это девушка, занимавшаяся в нашей группе.

а)
1. В Англию приехал путешественник, который хорошо знает английский язык.
2. Она пригласила подругу, которая хорошо говорит по-английски.
3. Я встретился с инженером, который работает в нашей лаборатории.
4. Он спросил меня о друзьях, которые изучают русский язык.
5. Мы приготовили сувениры артистам, которые участвуют в концерте.
6. Я слушал доклад учёного, который давно интересуется этой проблемой.
7. У людей, которые занимаются спортом, обычно хорошее здоровье.

б)
1. Пациенты, которые полюбили Пирогова, назвали его чудесным доктором.
2. Все знали хирурга, который сделал ему операцию.
3. Студенты слушали лекции врача, который создал новые методы лечения.
4. Я жду студентку, которая уже сдала все экзамены.
5. Отец поблагодарил незнакомца, который помог ему.
6. Он разговаривал с матерью, которая недавно приехала с юга.
7. Мы встретились с друзьями, которые вернулись на родину.

XI. Прочитайте предложения. Обратите внимание на употребление активных и пассивных причастий.

1. Здесь работают учёные, изучающие эту проблему.	Эта проблема, изучаемая учёными, очень важна.
2. Я читал биографию М.В. Ломоносова, основавшего первый русский университет.	Московский университет, основанный по проекту М.В. Ломоносова, носит его имя.
3. Мерцалов, встретивший незнакомца, рассказал ему свою историю.	Незнакомец, встреченный Мерцаловым, был известным врачом.

4. Я знаю рабочих, построивших новую станцию метро.	Новая станция метро, построенная этими рабочими, открылась недавно.

XII. Употребите нужное по смыслу причастие в правильной форме.

1. Лекарство, ... пациентом, помогает ему. Пациент, ... это лекарство, скоро почувствует себя лучше.	принимающий — принимаемый
2. Он взял рецепт, ... молодым врачом. Молодой врач, ... этот рецепт, работает здесь недавно.	выписавший — выписанный
3. Инженеры, ... этот проект, работают в нашем институте. Я видел проект, ... этими инженерами.	создающий — создаваемый
4. В письме, ... из дома, было много новостей. Она встретила Марию, ... вчера письмо из дома.	получивший — полученный
5. Я читал его стихи, ... на русский язык. Я знаю поэта, ... эти стихи.	переведший — переведённый
6. Они показали мне мебель, ... недавно. Я был у соседей, ... новую мебель.	купивший — купленный
7. На столе лежал словарь, ... студентом. Студент, ... словарь, вернулся в аудиторию.	забывший — забытый

XIII. Измените предложения по образцу.

Образец: Я слышал песню, которую написал этот композитор.
Я слышал песню, написанную этим композитором.
Мы пригласили композитора, который написал эту песню.
Мы пригласили композитора, написавшего эту песню.

1. Делегация, которую принял ректор, приехала из Сибири. Ректор, который принял делегацию, рассказал гостям о нашем университете.
2. Мне понравился подарок, который прислал мой брат. Брат, который прислал мне подарок, живёт в Саратове.
3. Мы смотрели видеофильм, который сделал этот журналист. Журналист, который сделал этот фильм, работает на севере.

4. Я посмотрел журналы, которые мне принесли вчера.
   Товарищ, который принёс мне журналы, мой старый знакомый.
5. Она запомнила песню, которую спела молодая певица.
   Певица, которая спела эту песню, недавно окончила консерваторию.
6. Председатель, который открыл научную конференцию, директор нашего института.
   Конференция, которую открыл наш директор, очень интересная.
7. Я взял тетрадь студента, который решил трудную задачу.
   Задача, которую решил студент, очень трудная.

Для самостоятельного чтения

Вам знакомы эти слова?
Уточните их значение по словарю и переведите на родной язык.

хиру́рг
прибалти́йский
диссерта́ция
в ка́честве *кого? чего?*
основополо́жник
совреме́нник
отка́зываться *что делать?*
отказа́ться *от чего?*
де́ятельность *ж*
награждён *чем?*

зва́ние

***

учи́ться блестя́ще
золоты́е ру́ки
вое́нно-полева́я хирурги́я
анатоми́ческий теа́тр
быть в восто́рге
почётный граждани́н

Н.И. Пирогов

Известный русский хирург Николай Иванович Пирогов родился в Москве 25 ноября 1810 года в семье военного.

Николаю было 14 лет, когда он поступил на медицинский факультет Московского университета. Учился Николай блестяще, был одним из лучших студентов. Особенно серьёзно Пирогов изучал анатомию.

В 1827 году Николая Пирогова посылают в прибалтийский город Дерпт (теперь город Тарту). Там Пирогов очень много работал, делал операции, продолжал изучать анатомию, писал диссертацию. Пирогов считал анатомию одним из наиболее важных предметов для врача, особенно для хирурга. «Нет хирургии без анатомии», — говорил он.

В 1836 году Пирогов стал профессором Дерптского университета. Лекции, занятия профессора Пирогова очень быстро полюбили студенты-медики, а врача Пирогова полюбили пациенты. К нему приходило много больных. Пациенты называли Пирогова «чудесным доктором». Денег за лечение Пирогов не брал.

В 1841 году Пирогов начинает работать в Петербургской военно-хирургической академии. И здесь, в Петербурге, продолжается врачебная практика «чудесного доктора».

Многим пациентам золотые руки хирурга Пирогова подарили вторую жизнь.

Участвуя в Крымской войне в качестве врача, Пирогов создал новые методы лечения раненых. Он стал основоположником военно-полевой хирургии.

Имя врача, педагога, учёного Пирогова хорошо знали не только в России. Мировую известность получил созданный Пироговым анатомический атлас. Операции Пирогова были школой для его коллег.

Много историй и легенд о Пирогове рассказывали его современники. Вот одна такая история.

Однажды, когда Пирогов был в Париже, он пришёл в Медицинскую академию. Его не узнали, и он вместе со студентами в анатомическом театре слушал объяснения профессора. Профессор рассказывал о сложной операции, которую впервые сделал русский хирург Пирогов. Закончив объяснение, профессор предложил кому-нибудь сделать эту операцию. Все отказались. Тогда Пирогов подошёл к столу и блестяще сделал операцию. Профессор был в восторге, он воскликнул:

— Прекрасно! Сам Пирогов не мог бы сделать лучше. Скажите, как ваша фамилия?

— Пирогов.

В мае 1881 года в Московском университете отмечали пятидесятилетний юбилей научной и практической деятельности врача и учёного Пирогова. Друзья, коллеги, бывшие пациенты — все поздравляли «чудесного доктора». За свою долгую и очень нужную людям работу Пирогов был награждён званием Почётного гражданина Москвы.

Задание к тексту

1. Расскажите, что вы узнали о русском хирурге Н.И. Пирогове?
2. Какой случай произошёл с Пироговым в Париже?
3. Какое звание за свою работу получил Пирогов?
4. Прочитайте высказывание нашего современника — хирурга Н. Амосова о специальности врача и учителя.

> Врач и учитель — две профессии, в которых любовь к людям — обязательное качество.

Пословицы и афоризмы о здоровье

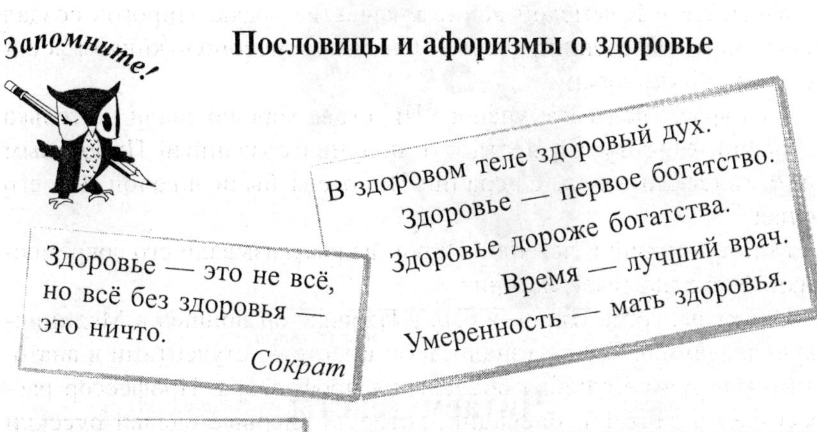

Здоровье — главное богатство.

Эмерсон

Кто рано ложится и рано встаёт, здоровье, богатство и ум наживёт.

Франклин

УРОК 3

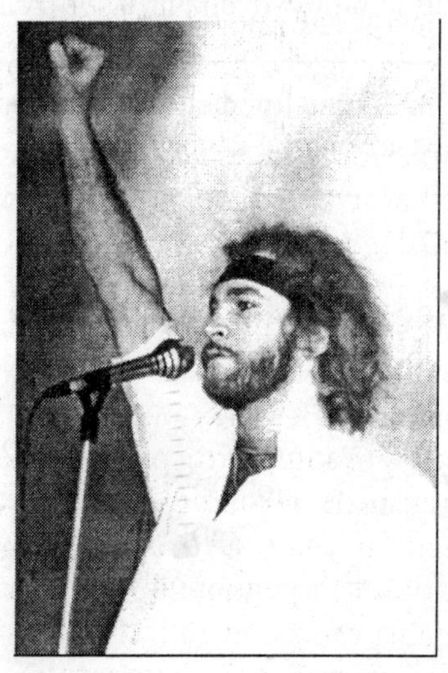

И. Тальков

Читаем тексты

Вам знакомы эти слова?

Уточните их значение по словарю и переведите на родной язык.

ги́бель *ж*
влюблённый *в кого? во что?*
самообразова́ние
достава́ть | **доста́ть** *что?*
архи́в
архи́вный
пруд
борьба́
несправедли́вость *ж*
ложь *ж*
зло

почита́тель *м*
моги́ла
кла́дбище
похоро́нен
цель *ж*

***

родово́е име́ние
гражда́нские (социальные) **пе́сни**
веду́щий телепереда́чи
жизнь оборвала́сь
уйти́ из жи́зни

Певец России

Песня — это кратчайший путь к уму и сердцу человека.

И. Тальков

Осенью 2001 года в Москве, и не только в Москве, отмечали 10 лет со дня трагической гибели поэта, певца и композитора Игоря Талькова. Игорь погиб, не дожив одного месяца до тридцати пяти лет. Русский народ, русское искусство потеряли талантливого, влюблённого в Россию поэта и певца.

Игорь родился в 1956 году в городе Щёкино, который находится недалеко от Ясной Поляны — родового имения Л.Н. Толстого. В 18 лет он приехал в Москву.

Первые песни Игорь начал писать в 1973 году. Высшего музыкального образования он не получил, так как ушёл из музыкальной школы, не закончив её. Учился он в разных институтах: в педагогическом, в институте кинематографии, в институте культуры, но ни один из них так и не закончил. Однако он занимался самообразованием, серьёзно изучал историю, особенно историю своей родной страны. Он доставал редкие исторические документы, изучал архивные материалы, много читал. В его маленькой московской квартире была собрана большая библиотека. Любимыми писателями Игоря были А. Пушкин и И. Бунин[1].

Работал Игорь в разных музыкальных ансамблях, в разных группах, но его мечта была — выступать со своими песнями, со своей программой. Первая песня, принёсшая ему известность, была «Чистые пруды». Его стали приглашать на радио, на телевидение как исполнителя лирических песен. Но у Игоря было много гражданских, социальных песен, которые были для него гораздо важнее. В этих песнях он говорил о том, что волновало его и его современников. Первой такой песней, которую услышали все, стала песня «Россия». Ведущий одной популярной телепередачи сделал клип «Россия» для своей программы. Песню услышала вся страна. Тальков сразу стал знаменит. Теперь он мог выступать со своей программой. В залах на его концертах не было свободных мест.

---

[1] **И.А. Бунин** (1870–1953) — известный русский писатель, с 1920 года живший в эмиграции. Автор лирических стихотворений, рассказов, повестей, автобиографического романа «Жизнь Арсеньева». В 1933 году получил Нобелевскую премию.

Концерты Талькова были поэтическими вечерами, где поэт пел и говорил о России.

На его концертах всегда было много молодёжи, молодые люди после концерта подходили к артисту, чтобы поговорить о том, что их волновало.

Когда-то поэт Евтушенко сказал: «Поэт в России больше, чем поэт…» И это действительно так. Стихи и песни Талькова помогали многое понять, помогали людям в самых трудных ситуациях. Сам Игорь говорил о своих песнях: «Это мой метод борьбы с несправедливостью, ложью, злом и… я буду бороться до конца. …Победа над злом — цель моей жизни».

С концертами, на которых он исполнял свои песни и стихи, Тальков ездил по всей России. И везде, куда он приезжал, его ждал успех и любовь благодарных зрителей. В песнях и стихах Тальков говорил о главном: о любви к родине, к России, уважении к её истории.

Жизнь поэта трагически оборвалась. Уже после гибели Талькова вышла книга его стихов, вышли диски с его песнями, была опубликована книга «Монолог». Об этой книге один из почитателей Талькова написал:

> Читая книгу «Монолог»,
> Мы понимаем, сколько мог
> Ещё он сделать для тебя,
> Россия, родина моя!

4 ноября — в день рождения поэта и 6 октября — в день его гибели люди приходят к его могиле на кладбище в центре Москвы. Здесь, на этом кладбище, похоронены русские поэты: Сергей Есенин и старший современник Талькова поэт и певец Владимир Высоцкий. На могилах поэтов лежат свежие цветы. В дни их памяти звучат их стихи и песни, а также песни и стихи о них. Всех их объединяла любовь к России, и все они рано ушли из жизни, но остались в нашей памяти, в наших сердцах.

Задание к тексту

1. Расскажите, что вы узнали о певце и поэте Игоре Талькове.

1) Где и когда он родился?
2) Когда Игорь начал писать свои песни?
3) Кто помог Игорю стать известным певцом?
4) О чём пел Тальков, что было главной темой его песен и стихов?

2. Прочитайте высказывания о Талькове его современников, постарайтесь понять их. Прокомментируйте те из них, которые вам понравились.

1) «Его песни лечат наши сердца» («Молодой сибиряк», г. Омск).
2) «Тальков — патриот… в его песнях нет иной направленности, кроме любви к родной земле, тревоги за настоящее и будущее своего народа» («Русский вестник»).
3) Поэт А. Баженов писал о Талькове:

Его до боли смелый крик
В защиту русского народа
Сумел прорваться лишь на миг,
Чтоб защитить нам в душах Бога!

3. Прочитайте высказывания известных людей: писателей, поэтов, политических деятелей о любви к родной земле. С каким высказыванием вы не согласны? Почему?

Любовь к Родине — это первое достоинство цивилизованного человека.
Наполеон Бонапарт

Пока свободою горим,
Пока сердца для чести живы,
Мой друг, Отчизне посвятим
Души прекрасные порывы!
А. Пушкин

Самые большие подвиги были совершены из любви к Отечеству.
Жан-Жак Руссо

Не спрашивай, что твоя Родина может сделать для тебя, спроси себя, что ты можешь сделать для своей Родины.
Джон Кеннеди

Тот, кто не любит свою страну, не может любить ничего.
Байрон

Люби, люби и люби своё Отечество! Ибо любовь эта даёт тебе силу…
М. Салтыков-Щедрин

Россия без каждого из нас обойтись может, но никто из нас без неё не может обойтись.
И. Тургенев

Нельзя без хлеба жить, бесспорно,
Но жить без родины тем более нельзя.
Виктор Гюго

4. Прочитайте отрывок из песни Талькова, посвящённой памяти певца и поэта Виктора Цоя.

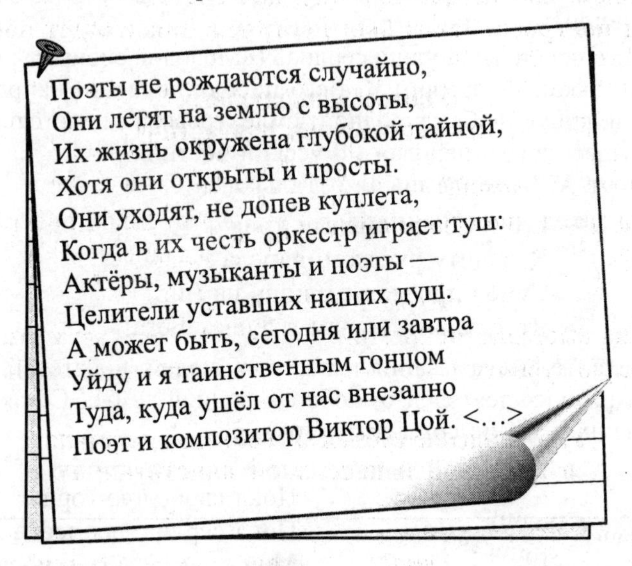

Грамматика

Полная и краткая форма страдательных причастий

Страдательные причастия прошедшего времени имеют полную и краткую форму. Полная форма страдательных причастий является в предложении определением: **прочитанная (какая?) книга, построенный (какой?) завод, недавно открытая (какая?) выставка**. Краткая форма в предложении является сказуемым: **Книга прочитана. Завод построен. Выставка недавно открыта.**

Образование кратких форм причастий

прочитанный — **прочитан** (прочитан**а**, прочитан**о**, прочитан**ы**)
построенный — **построен** (построен**а**, построен**о**, построен**ы**)
открытый — **открыт** (открыт**а**, открыт**о**, открыт**ы**)

Краткие страдательные причастия выражают результат действия в настоящем, прошедшем или будущем времени:

Завод построен. Завод был построен. Завод будет построен.

Употребление полных и кратких форм причастий

какой?

Я видел завод, **построенный** недавно.	Этот завод **построен** недавно.

на какой?

Я был на выставке, **открытой** в прошлую субботу.	Эта выставка **открыта** в прошлую субботу.

Употребление субъекта и объекта действия в активной и пассивной конструкциях

Им. п. ***кто?*** … *Вин. п.* ***что?*** **Рабочие** построили **школу**.	*Им. п.* ***что?*** … *Твор. п.* ***кем?*** **Школа** построена **рабочими**.
Вин. п. ***что?*** Здесь построили **школу**.	*Им. п.* ***что?*** Здесь построена **школа**.

Примечание. При отсутствии подлежащего (субъекта) в активной конструкции в пассивной нет объекта в творительном падеже и, как правило, не меняется порядок слов.

Упражнения

I. Ответьте по образцу.

Образец: — Что такое недавно опубликованная книга?
— Это книга, которую опубликовали недавно.

Что такое …

… исполненная по телевизору песня?
… хорошо организованный концерт?
… давно забытые мелодии?

… недавно открытая выставка?
… переведённый на русский язык рассказ?
… уже законченная работа?
… полученное вчера письмо?
… давно изучаемая проблема?
… подаренные артисту цветы?
… спетые девушками песни?

II. Прочитайте и переведите на родной язык пословицы. Обратите внимание на употребление деепричастий и причастий.

а) 1. Кончив дело, гуляй смело. 2. Ничего не делая, мы учимся дурным делам. 3. Лёжа пищи не добудешь. 4. Не замочив рук, не умоешься.

б) 1. Сделанного не воротишь. 2. Хорошо начатое наполовину сделано. 3. Имеющий уши, да слышит. 4. Утопающий хватается за соломинку. 5. Выученное наспех быстро забывается. 6. Новое — это хорошо забытое старое. 7. Болезни — это проценты за полученные удовольствия.

III. Прочитайте текст. Обратите внимание на употребление полных и кратких причастий.

Игорь Тальков

Игорь Тальков, родившийся в городе Щёкино, недалеко от Москвы, в 18 лет приехал в Москву. Первые песни были написаны им в 1973 году.

Учившийся в трёх институтах, Игорь не закончил ни один из них. Но он много занимался самообразованием. Книги, прочитанные Игорем, составили большую библиотеку.

В его библиотеке собрана интересная литература по истории страны.

Первая песня, принёсшая Игорю известность, была «Чистые пруды». Его стали приглашать на радио, на телевидение. Прозвучавшая в одной из телевизионных программ его песня «Россия» была услышана всеми. Игорь сразу стал знаменит.

IV. Употребите краткое или полное причастие в правильной форме.

1. Песни, ... Тальковым, помогали людям в трудных ситуациях. Эти песни ... недавно.	написанные — написаны
2. Книга Талькова «Монолог» ... после его гибели. Я читал книгу Талькова, ... после его гибели.	опубликованная — опубликована
3. Памятник А.С. Пушкину в центре Москвы ... скульптором А.М. Опекушиным. Я видел памятник, ... известным скульптором.	созданный — создан
4. Московский университет ... М.В. Ломоносовым. Он поступил в университет, ... М.В. Ломоносовым.	основанный — основан
5. Эти студенты ... в литературный институт. Ректор беседовал со студентами, ... в литературный институт.	принятые — приняты
6. Мы читали его стихи, ... на русский язык. Его стихи ... на русский язык.	переведённые — переведены
7. Эта работа ... в прошлом году. Учёные продолжают работу, ... в прошлом году.	начатая — начата

V. Измените предложения по образцу.

Образец: Они приглашены на наш концерт.
Их пригласили на наш концерт.
Эта лекция будет прочитана известным профессором.
Эту лекцию прочитает известный профессор.

1. Эта школа построена в прошлом году.
2. Телеграмма была послана братом.
3. К больному был вызван врач.
4. Этот рецепт выписан молодым врачом.
5. На концерте будут исполнены русские песни.
6. Книга куплена в этом магазине.
7. Работа скоро будет закончена.

8. Все экзамены уже сданы.
9. Памятник А.С. Пушкину поставлен в центре Москвы.
10. Храм восстановлен в 1997 году.

VI. а) Прочитайте предложения. Обратите внимание на употребление активных и пассивных конструкций.

Учёные	решают будут решать решали	эту проблему.	Проблема	решается будет решаться решалась	учёными.
Учёные	решат решили	эту проблему.	Проблема	будет решена (была) решена	учёными.
Здесь	построят построили	гостиницу.	Здесь	будет построена (была) построена	гостиница.

б) Прочитайте шутку. Замените активную конструкцию, которую написал на доске учитель, пассивной.

На уроке грамматики

Учитель объяснял на уроке активные и пассивные конструкции. Он написал на доске фразу «Жестокий хозяин убил свою бедную собаку» и попросил учеников заменить активную конструкцию пассивной. Один ученик быстро сказал: «Жестокая собака убила своего бедного хозяина».

VII. Измените предложения по образцу.

а) Образец: Русские романсы исполнялись молодым певцом.
Русские романсы исполнял молодой певец.
Здесь откроется новая станция метро.
Здесь откроют новую станцию метро.

1. Лекции в институте читались известными учёными.
2. Вся программа вечера готовилась нашими студентами.
3. В клубе демонстрировались новые фильмы.
4. Его песни часто исполнялись по радио.
5. В клинике создавались новые методы лечения.

б) Образец: Тальковым собрана интересная литература.
Тальков собрал интересную литературу.
Песня «Россия» будет услышана всеми.
Песню «Россия» услышат все.

1. Эта телеграмма получена утром.
2. Пьеса «Три сестры» написана А.П. Чеховым.
3. Песни военных лет спеты этими девушками.
4. Здесь будет построена новая гостиница.
5. Скоро будет открыта выставка этого художника.
6. Его книга переведена на английский язык.

VIII. Употребите нужный по смыслу глагол в правильной форме.

1. От ветра и дождей старое здание постепенно … . Ветры и дожди … старое здание.	разрушать — разрушаться
2. Реставраторами … исторические памятники. В центре Москвы реставраторы … исторические памятники.	восстанавливать — восстанавливаться
3. Он спросил, как … это слово. Мы … это слово не так, как пишем.	произносить — произноситься
4. Рабочие … работу. Работа … .	прекратить — прекратиться
5. Он долго … эту задачу. Эта задача … очень просто.	решать — решаться
6. Учёные … эту проблему. Эта проблема … учёными.	изучать — изучаться
7. Они … намеченный план работы. План работы уже … .	выполнить — выполниться

IX. Измените вопросы по образцу.

Образец: Кто строил эти дороги?
Кем строились эти дороги?
Какие певцы исполнили русские песни?
Какими певцами исполнены русские песни?

1. Кто читает лекции по литературе?
2. Кто переводит его стихи?

3. Кто реставрировал этот музей?
4. Какие композиторы написали русские романсы?
5. Какие скульпторы создали эти памятники?
6. Какие студенты организовали ваш вечер?

X. Измените предложения по образцу.

Образец: Это институт, где он работает.
Это институт, в котором он работает.

1. На фестивале,
   - где они выступали, было много талантливых певцов.
   - куда они ездили, было много талантливых певцов.
   - откуда они приехали, было много талантливых певцов.

2. В лаборатории,
   - где он работает, занимаются этой проблемой.
   - куда мы ходили, занимаются этой проблемой.
   - откуда мы пришли, занимаются этой проблемой.

XI. Употребите слово **который** в правильной форме, там, где нужно, употребите соответствующий предлог.

1. Олег встретил брата, ...
   - живёт в Петербурге.
   - он давно не видел.
   - он получил телеграмму.
   - он звонил в воскресенье.
   - он познакомил меня.
   - много говорил мне.

2. В вагоне журналист познакомился с девушками, ...
   - звали Вера и Наташа.
   - пели русские песни.
   - он дал свой телефон.
   - он долго беседовал.
   - он рассказал друзьям.

3. Экскурсия, ...
   - организовал университет, была интересная.
   - мы были, нам очень понравилась.
   - они вернулись, была в субботу.
   - они говорят, будет завтра.

XII. Соедините предложения, употребив слово **который** в правильной форме, там, где нужно, с соответствующим предлогом.

Образец: Я был на концерте пианиста. Я много слышал о нём.
Я был на концерте пианиста, о котором я много слышал.

1. Мы встретились на вокзале с другом.	Он пригласил нас за город.
2. Я давно знаю Андрея.	Мы учились с ним в институте.
3. Он купил книгу Талькова «Монолог».	Ему рассказал о ней товарищ.
4. Девушки пели много песен.	Некоторые из них я раньше не слышал.
5. Мы были на интересной выставке.	Эту выставку открыли недавно.
6. Нина показала мне фотографии братьев.	Она купила им подарки.
7. По радио передавали песню «Моя Москва».	Эта песня стала гимном Москвы.

Для самостоятельного чтения

Вам знакомы эти слова?
Уточните их значение по словарю и переведите на родной язык.

подмоско́вный
электри́чка
пожило́й
уча́стник *чего?*
аккомпанеме́нт
колоко́льчик
звене́ть *несов*
звон

реда́кция

***

петь сла́женно
одна́ за друго́й
Вели́кая Оте́чественная война́ (1941 – 1945)

Наши песни

Я возвращался в Москву из подмосковной деревни, где у нас с женой был небольшой дом. Возвращался я в середине дня. В это время обычно в электричке бывает немного людей.

В моём вагоне было несколько пожилых женщин и мужчин и две девушки, сидевшие недалеко от меня. Женщины о чём-то разговаривали, большинство мужчин читали газеты, а девушки тихонько пели.

Пели они слаженно и красиво, но удивило меня не это. Меня удивили песни, которые они пели, — это были песни времён моей молодости, песни, которые были популярны 20 – 30 лет назад. В последнее время я редко слышал эти песни по радио или по телевидению.

Мы ехали уже сорок минут, а девушки почти без перерыва пели одну песню за другой. Я с удовольствием слушал почти забытые мелодии. И тут оказалось, что некоторые из военных песен, спетых девушками, я не знал. Это меня удивило. Я пел в студенческом хоре, когда учился в институте. Мне казалось, что я довольно хорошо знаю песни своего времени.

До Москвы оставалось ехать ещё минут тридцать, и я решил познакомиться с девушками. Я подошёл к ним и спросил, могу ли я сесть на свободное место около них. Девушки удивились: в вагоне было много свободных мест, но вежливо ответили: «Пожалуйста, садитесь». Мы познакомились. Девушек звали Наташа и Вера, они вместе учились в институте. Я сказал им, что я журналист и, когда учился в институте, пел в хоре. Поинтересовался, откуда они знают так много песен военных лет. Наташа ответила, что её дедушка — участник Отечественной войны пел ей много песен, она их запомнила.

Я спросил их о любимых песнях. Девушки ответили, что кроме песен, услышанных мной, они любят русские народные песни, русский романс. На просьбу исполнить романс Наташа ответила, что романс без гитары, без аккомпанемента петь нельзя. А народную песню они споют. И девушки запели: «Динь-динь-динь, динь-динь-динь — колокольчик звенит… Этот звон, этот звук много мне говорит!»

Я знал, что у песни есть автор, но она давно исполняется как народная.

Мы не заметили, как доехали до Москвы. Я пригласил девушек в редакцию. Дал им телефон редакции и домашний телефон. Девушки обещали позвонить и сказали, что приедут с гитарами.

Прошёл почти год, но девушки так и не позвонили. Может быть, потеряли номер телефона, а может быть, забыли своего случайного попутчика.

Задание к тексту

1. Расскажите историю, которая произошла с журналистом.

2. Какие песни вы любите?

3. Знаете ли вы какие-нибудь русские песни?

4. Прочитайте высказывание Бернарда Шоу о песнях.

> **Человек, создающий песни народа, могущественней, чем создающий его законы.**

Динь-динь-динь!

Музыка и слова *Е. Юрьева*

В лунном сиянье снег серебрится,
Вдоль по дороге троечка мчится.
«Динь-динь-динь, динь-динь-динь!» —
Колокольчик звенит…
Этот звон, этот звук много мне говорит!

В лунном сиянье ранней весною
Вспомнились встречи, друг мой, с тобою…
Колокольчиком твой голос юный звенел…
«Динь-динь-динь, динь-динь-динь!» —
О любви сладко пел…

Вспомнился зал мне с шумной толпою,
Личико милой с белой фатою…
«Динь-динь-динь, динь-динь-динь!» —
Звон бокалов звучит…
С молодою женой мой соперник стоит!..

Русское поле

Музыка *Яна Френкеля*
Слова *Инны Гофф*

Поле, русское поле…
Светит луна или падает снег, —
Счастьем и болью вместе с тобою,
Нет, не забыть тебя сердцу вовек.
Русское поле, русское поле…
Сколько дорог прошагать мне пришлось!
Ты моя юность, ты моя воля, —
То, что сбылось, то что в жизни
сбылось…

Не сравнятся с тобой ни леса, ни моря.
Ты со мной, моё поле, студит ветер висок.
Здесь отчизна моя, и скажу, не тая:
«Здравствуй, русское поле, я твой тонкий
колосок».
Поле, русское поле…
Пусть я давно человек городской, —
Запах полыни, летние ливни
Вдруг обожгут меня прежней тоской.
Русское поле, русское поле…
Я, как и ты, ожиданьем живу,
Верю молчанью, как обещанью,
Пасмурным днём вижу я синеву.

Не сравнятся с тобой ни леса, ни моря.
Ты со мной, моё поле, студит ветер висок.
Здесь отчизна моя, и скажу, не тая:
«Здравствуй, русское поле, я твой тонкий
колосок».

Урок 4

Читаем тексты

Вам знакомы эти слова?
Уточните их значение по словарю и переведите на родной язык.

таи́нственный
це́рковь *ж*
уса́дьба
мете́ль *ж*
прия́тель *м*
гимна́зия
накану́не *чего?*
ко́локол
свеча́
опа́сность *ж*
минова́ть *сов и несов*
забы́ться *сов*
замерза́ть |
замёрзнуть |

крест
побли́зости
деревя́нный
когда́-то
пове́рхность *ж*

***

Рождество́ Христо́во
рожде́ственский расска́з
Рожде́ственская слу́жба
сла́ва Бо́гу!
прийти́ в себя́

Таинственная церковь
(рождественский рассказ)

Несколько лет назад я провёл Рождественскую ночь с моим приятелем в его усадьбе. Усадьба находилась километрах в пятнадцати от ближнего села. Второй день продолжалась сильная метель. Ехать в такую погоду в сельскую церковь на Рождественскую службу было нельзя.

Мы сидели, пили чай, разговаривали. И вдруг мой приятель сказал:

— А хотите, я расскажу вам случай, который произошёл со мной лет двадцать назад, как раз в Рождественскую ночь.

Я согласился с большим удовольствием.

— Лет двадцать назад я учился в гимназии, — начал он. — И вот моя тётя пригласила меня к себе на рождественские каникулы. Я был очень рад. Тётя жила в маленькой усадьбе, деревню я любил и знал, что хорошо там проведу время.

Всё было так, как я и думал: я вкусно ел, много гулял и с нетерпением ждал Рождественскую ночь. Ближнее село, где была церковь, находилось от нас километрах в восьми. Но накануне Рождества тётушка моя заболела, а я обязательно хотел быть в церкви. Дорога к селу была прямая, и я решил идти один пешком. Тётушка советовала поехать на лошади, но я любил ходить пешком и дорогу знал хорошо.

И вот поздно вечером я вышел из дома. Сначала вокруг было тихо, но через некоторое время поднялся ветер, началась метель. Я шёл, а метель становилась всё сильнее и сильнее. И вот я уже не видел дорогу. Я испугался. Впереди, влево, вправо — везде был только снег и ветер. Я устал и не знал, что делать. И вдруг мне показалось, что я слышу звук колокола. «Слава Богу, значит, это село», — подумал я и пошёл на этот звук. Когда я сделал несколько шагов, я увидел маленькую церковь. Она стояла одна посреди белого поля. Вокруг не было ни одной избы. Я вошёл в церковь, она была пуста, хотя перед иконами горели свечи. Я был счастлив. Опасность миновала. Подойдя к иконе, я упал на пол и тотчас забылся.

Когда я пришёл в себя, я увидел, что лежу на кровати, а около меня сидит тётушка.

— Ну слава Богу! — сказала она, увидев, что я открыл глаза. — А ведь ты чуть не замёрз. Тебя нашли в поле около креста. Как только началась метель, я послала за тобой работника на лошади. Он и нашёл тебя.

Я слушал тётушку и ничего не понимал. Какой крест? Я же был в церкви. Почему меня нашли в поле? Я рассказал всё, что я видел. Тётушка удивилась:

— Никакой церкви у нас поблизости нет. Есть в поле крест километрах в четырёх от усадьбы, около этого креста тебя и нашли.

Уже потом я узнал, что этот деревянный крест с давних времён стоит на том месте, где когда-то стояла церковь. Люди говорят, что однажды эта церковь ушла в землю и выходит на поверхность только один раз в год — в ночь на Рождество Христово.

— Ну и что вы об этом думаете? — спросил меня приятель, закончив рассказ.

Я ничего не смог ответить.

По А. Астафьеву

Задание к тексту

1. Какая история произошла с другом рассказчика в Рождественскую ночь?
2. К кому он однажды приехал на рождественские каникулы?
3. Почему он не смог попасть в церковь?
4. Что случилось с ним во время метели?
5. Какую легенду он узнал о старой церкви?

Грамматика

Выражение времени

На сколько времени? (На какое время?)	Сколько времени? (Как долго?)	За сколько времени? (За какое время?)	Когда?
Я взял книгу на **неделю**.	Я буду читать книгу **неделю**.	Я прочитаю книгу **за неделю**.	Я верну тебе книгу **через неделю**.

На сколько времени?	**Когда?**
Я приехал в Москву **на месяц**.	Я вернусь домой **через месяц**.
на + существительное в винительном падеже	**через** + существительное в винительном падеже

Сколько времени?	**За сколько времени?**
Он **переводил** рассказ **неделю**.	Он **перевёл** рассказ **за неделю**.
Глаголы **несовершенного** вида (процесс) + существительное в винительном падеже без предлога.	Глагол **совершенного** вида (результат) + существительное в винительном падеже с предлогом **за**.

Когда?

Вин. п. *Род. п.* ***за … до …***	*Вин. п.* *Род. п.* ***через … после …***
Мы встретились **за** полчаса **до** начала лекции.	Мы встретились **через** полчаса **после** окончания лекции.

Когда?

Вин. п.	*Дат. п.*
каждую субботу каждый четверг каждое воскресенье	по субботам по четвергам по воскресеньям

Когда?

Род. п. во время урока (лекции) *Твор. п.* перед уроком (лекцией)	*Род. п. Род. п.* ***с … до …*** с утра до вечера

Когда?

Наречия времени	Конструкции времени с существительным в родительном падеже
утром днём вечером ночью	в семь часов утра в два часа дня в семь часов вечера в два часа ночи

Некоторые выражения времени

до сих пор (до этого времени)
с тех пор (с того времени)
до тех пор (до того времени)

***

срок, период
век (столетие)

Упражнения

I. а) Прочитайте предложения, обратите внимание на употребление выражений времени.

1. Он взял книгу **на неделю**.
2. Он будет читать её **неделю**.
3. Он прочитает её **за неделю**.
4. Он вернёт книгу в библиотеку **через неделю**.

б) Прочитайте шутки, обратите внимание на употребление выражений времени.

Разговор матери с дочерью

— Сколько времени ты варила яйца? — спросила мать свою дочь.

— **Девять минут**, — ответила дочь.

— Я же сказала тебе, что нужно варить **три минуты**.

— Но ведь я варила три яйца.

Разговор двух художников

— Ты знаешь, я рисовал картину **неделю**, а не могу продать её **целый год**.

— Вот если бы ты рисовал её **год**, ты продал бы её **за неделю**.

II. Закончите фразы, употребив нужное по смыслу выражение времени.

Образец: Я делал эту работу две недели.
Я сделал эту работу **за** две недели.

1. Я решал задачу час.
Я решил её ... .
2. Он изучал русский язык три года.
Он изучил русский язык ... .
3. Она писала письмо 40 минут.
Она написала письмо ... .
4. Эту церковь строили год.
Эту церковь построили ... .
5. Мы шли до деревни час.
Мы дошли до деревни ... .
6. Я ехал до Петербурга семь часов.
Я доехал до Петербурга ... .

III. Закончите фразы, употребив нужное по смыслу выражение времени.

Образец: Сестра поехала в Саратов **на неделю**.
Она вернулась домой **через неделю**.

1. Я попросил ручку ... . Я вернул её	10 минут
2. Андрей взял у меня газету ... . Он вернул мне газету	два часа
3. Мы поехали на юг ... . Мы вернулись с юга	месяц
4. Я зашёл к нему ... . Я ушёл	полчаса
5. Тётя пригласила нас приехать к ней ... . Мы уехали от неё	две недели
6. Она дала мне эту книгу ... . Я вернул ей книгу	два дня

IV. Закончите фразы, употребив нужное по смыслу выражение времени.

1. Мы приехали в Москву ... . Мы будем учиться в Москве ... . Мы закончим университет ... . Мы вернёмся на родину	шесть лет

2. Аня взяла у подруги журнал ... . Она будет читать его ... . Она прочитает журнал ... . Она вернёт подруге журнал	неделя
3. Он дал мне словарь ... . Я буду переводить текст ... . Я переведу текст ... . Я отдам ему словарь	час

V. Составьте предложения по образцу.

а) ***Образец:*** Лекция начинается в пять часов.
Мы пришли в аудиторию без десяти пять.
Мы пришли в аудиторию **за десять минут** до начала лекции.

1. Спектакль начинается в семь часов.
Мы пришли в театр без двадцати семь.
Мы пришли в театр ... .
2. Мой поезд отходит в одиннадцать часов.
Я приехал на вокзал в половине одиннадцатого.
Я приехал на вокзал ... .
3. Занятия в университете начинаются в девять часов.
Он приехал в университет без пятнадцати девять.
Он приехал в университет ... .
4. Концерт в клубе начинается в восемь часов.
Мы пришли в клуб без десяти восемь.
Мы пришли в клуб ... .
5. Библиотека открывается в час.
Я пришёл без пяти час.
Я пришёл в библиотеку ... .
6. Выставка открывается в десять часов.
Она пришла в половине десятого.
Она пришла ... .

б) ***Образец:*** Все собрались встречать Новый год у меня.
Брат приехал на неделю раньше.
Брат приехал за неделю до Нового года.

1. У меня день рождения 26 июня.
Сестра приехала ко мне 24.
Сестра приехала ... .

2. Конференция началась 10 ноября.
   Участники конференции приехали девятого.
   Участники конференции приехали ... .
3. Я окончил институт в 2002 году.
   Последний раз я видел Алёшу в 2001 году.
   Последний раз я видел его ... .
4. Старый Новый год отмечают 13 января.
   Аня вернулась домой двенадцатого.
   Она вернулась домой ... .
5. Русское православное Рождество отмечают 7 января.
   Друг приехал ко мне на неделю раньше.
   Друг приехал ко мне ... .

VI. Составьте предложения по образцу.

Образец: Лекция началась в 11 часов.
Он вошёл в аудиторию 10 минут двенадцатого.
Он вошёл в аудиторию через 10 минут после начала лекции.

1. Спектакль кончился в 10 часов.
   Мы вышли из театра пятнадцать минут одиннадцатого.
2. Московское метро закрывается в час ночи.
   Когда мы дошли до метро, было десять минут второго.
3. 31 декабря он встречал с нами Новый год.
   Через неделю он уехал.
4. Зимние каникулы кончаются 7 февраля.
   Он вернулся в Москву десятого.
5. Он окончил Петербургский университет, год работал в Петербурге.
   Потом поехал в свой город.
6. Он получил диплом в конце июля.
   Первого сентября он начал работать.
7. Эта выставка открылась неделю назад.
   Сегодня мы первый раз пришли на эту выставку.

VII. Прочитайте текст и шутки. Обратите внимание на выражения времени.

Летние каникулы

Однажды друг пригласил меня **во время** летних каникул поехать с ним в деревню. **Три года** он и его друзья приезжают туда **каждое лето** восстанавливать старую церковь.

Я поехал. Там, в деревне, люди самых разных профессий **с утра до вечера** работали, восстанавливая маленькую церковь. **По вечерам**, когда становилось темно, мы собирались в сельском клубе, пели под гитару, рассказывали разные истории.

С тех пор каждое лето я езжу с другом. Где-то нужно помочь восстановить старинную усадьбу, посадить молодые деревья. Иногда **по субботам и воскресеньям** мы ездим в ближние деревни. Мне нравятся эти поездки. **За это время** я приобрёл много новых друзей.

На экзамене

— Расскажите о Столетней войне, — говорит экзаменатор.

— Столетняя война продолжалась более ста лет: **в 1337 году, в 1338 году, в 1339 году** ...

— **Одну минуту**. Это, конечно, правильно, ну а дальше?

— Дальше ... в 1340 году, в 1341 году, в 1342 году ...

Вопрос и ответ

Профессор спрашивает студента:

— Можете ли вы сказать что-нибудь о знаменитых учёных **XVIII века**?

— Конечно, — отвечает студент. — Все они давно умерли.

Она рано вышла замуж

У известной актрисы спросили:

— Как, вашей дочери уже 26 лет? Вы, наверное, рано вышли замуж.

— Да, **в 10 часов утра**.

VIII. Измените предложения по образцу.

Образец: Каждое воскресенье мы ездим за город.
По воскресеньям мы ездим за город.

1. Каждую субботу она ходит в бассейн.
2. Эта программа идёт по телевизору каждый понедельник.
3. Мы встречаемся с друзьями каждую пятницу.
4. Каждый понедельник у нас бывают контрольные работы.
5. Каждый четверг наш преподаватель проводит литературные вечера.
6. Каждую среду он занимается в шахматном кружке.
7. Каждое воскресенье она ездит к родителям.

IX. а) Расскажите, когда у вас начинаются занятия? В какое время вы приходите на занятия (за сколько времени до начала)?

1. Какие занятия бывают у вас в понедельник, во вторник и т.д?
2. Что вы делаете во время занятий?
3. Когда кончаются занятия?
4. Что вы делаете после занятий?
5. Занимаетесь ли вы спортом?
6. Ходите ли вы в бассейн? Если да, то по каким дням?
7. Как обычно проводите выходные дни? Ходите ли в театры, в кино, на дискотеку и т.д?

Используйте в рассказе выражения:

8 – 9 часов утра (вечера),
3 – 4 часа дня,
во время, за … до…, до, после,
каждый понедельник, вторник и т.д.,
по понедельникам, по вторникам и т.п.

б) Расскажите о какой-либо поездке, о путешествии. Когда и куда вы ездили? С какой целью (отдохнуть, работать, учиться)? Сколько времени провели в поездке (в путешествии)? Что за это время увидели (что сделали, чему научились)? Используйте нужные по смыслу выражения времени.

X. Прочитайте шутки. Обратите внимание на употребление глаголов движения с приставками.

Тоже радость

Маленький мальчик **пришёл** из школы домой и **привёл** друга.

— Мама, — сказал он радостно, — это Алик из нашего класса, он учится ещё хуже, чем я.

В кафе

В кафе **вошёл** пожилой мужчина и сел за столик. К нему быстро **подошёл** официант и не очень вежливо сказал:

— Этот стол занят.

— Ну что ж, — ответил посетитель, — возьмите, пожалуйста, этот стол и **принесите** мне другой.

XI. Прочитайте тексты. Употребите нужные по смыслу глаголы движения в правильной форме, там, где нужно, с соответствующей приставкой.

а) Мы с братом учимся в одном институте. Вчера мы, как обычно, **...** из дома в 8 часов и **...** на остановку. Когда мы **...** к остановке, наш автобус уже **...** . Мы сели в другой автобус и **...** до института. По дороге в институт мы **...** в газетный киоск купить утренние газеты. Когда мы **...** в институт, было уже почти 9 часов. Мы быстро **...** в свою аудиторию. В 9 часов в аудиторию **...** преподаватель, и занятия начались. Когда кончились занятия, брат **...** домой, а я **...** библиотеку. Домой я **...** в 8 часов вечера.

б) Я очень хотел **...** на Рождественскую службу. Деревня была в восьми километрах от усадьбы, поэтому тётушка советовала **...** на лошади. Но я любил **...** пешком и хорошо знал дорогу.

Поздно вечером я **...** из дома. Сначала было тихо. Но тут подул сильный ветер, началась метель, и я уже не видел дорогу. Я продолжал **...** , но кругом видел только снег. И вдруг я увидел маленькую церковь. Я быстро **...** к церкви. Когда я **...** в церковь, там горели свечи. Я **...** к иконе. Что случилось потом, не помню. Когда я пришёл в себя, я увидел, что лежу на кровати. Около меня сидит тётушка. Она сказала, что, когда началась метель, за мной на лошади **...** работник. Он нашёл меня и **...** домой.

XII. Закончите фразы по образцу.

Образец: Обычно я **покупаю** здесь газеты.
Эту газету я тоже **купил** здесь.

1. Обычно я **встаю** в 8 часов, но вчера я **...** .
2. Моя тётя часто **приглашала** меня к себе на каникулы. В этом году она тоже **...** .
3. Мы несколько раз **встречали** Новый год за городом с настоящей ёлкой. В этом году я тоже хочу **...** .
4. В рождественские и новогодние праздники я всегда **посылаю** родным и друзьям поздравительные письма и телеграммы. Утром я зашёл на почту и **...** .
5. Наша бабушка в день Крещения всегда **приносила** домой освящённую воду. Вчера было Крещение, и мой брат тоже **...** .
6. Я люблю **получать** праздничные подарки и хочу рассказать вам, какие подарки я **...** .

Для самостоятельного чтения

Вам знакомы эти слова?
Уточните их значение по словарю и переведите на родной язык.

правосла́вный
(был) **введён**
сле́дует *что делать?*
ра́зница *между чем и чем?*
составля́ть | **соста́вить** — *что?*
пре́жний
пост
в кану́н *чего?*
пра́дед
храм
ледяно́й

про́рубь *ж*
защища́ть | **защити́ть** — *что? кого? от кого?*
беда́

***

ста́рый (но́вый) **стиль**
по ука́зу *кого?*
от Сотворе́ния ми́ра
от Рождества́ Христо́ва
отмеча́ть | **отме́тить** — *что?* Рождество, праздник, Новый год

Русское Рождество

Русский православный праздник Рождество Христово отмечают 7 января, за неделю до Нового года, по старому стилю[1]. Новый год по старому стилю отмечается в ночь с 13 на 14 января. Появилось даже название «Старый Новый год».

Старый стиль — старый календарь существовал в России до 1918 года. Этот календарь был введён Петром Первым в конце 1699 года. По указу Петра Первого начало нового года следовало считать с 1 января, а не с 1 сентября, как это было в России.

Первый Новый год по этому календарю отметили в России 1 января 1700 года.

Новый, Григорианский календарь был введён в нашей стране 14 февраля 1918 года. Разница между старым и новым календарём составляет сейчас 13 суток. Однако календарь Русской православной церкви остался прежним. Вот почему мы отмечаем Рождество 7 января (25 декабря по старому стилю), а старый Новый год — в ночь с 13 на 14 января, то есть с 31-го на 1-е по старому стилю.

---

[1] **Старый стиль** — старый Юлианский календарь, который был в России до 1918 года.

Вам знакомы эти слова?

Уточните их значение по словарю и переведите на родной язык.

свя́зан *с кем? с чем?*	**кто́-нибудь**
торже́ственный	**зака́зывать** | *что?*
по́лночь *ж*	**заказа́ть** | *что?*
поро́г	**портре́т**
рыжеволо́сый	**храни́ть** *несов*
малы́ш	
шум	***
разбуди́ть *кого?*	**на рубеже́ веко́в**
любова́ться | *на что? на кого?*	**на поро́ге но́вого ве́ка**
полюбова́ться | *на что? на кого?*	**Пу́шкинский музе́й**
столе́тие	

Старый Новый год

Новый год — один из любимых наших праздников. И многие из нас празднуют его дважды. Первый раз в ночь с 31 декабря на 1 января, а второй раз в ночь с 13 на 14 января. Это старый Новый год. Его праздновали наши дедушки и бабушки. Он и в наши дни остался новогодним праздником по православному календарю.

Встреча старого Нового года в Москве имеет свою богатую историю, свои традиции. С ней связана одна интересная легенда о семье Пушкиных. Александр Сергеевич Пушкин родился на рубеже веков XVIII и XIX — в 1799 году.

В доме родителей поэта встречали Новый год и первый год нового, XIX века. В самую торжественную минуту, в полночь, на пороге залы, где веселились гости, появился рыжеволосый малыш с голубыми глазами — это был Александр, будущий поэт. Праздничный шум разбудил его. Мать мальчика Надежда Осиповна предложила гостям полюбоваться на человека нового столетия. Знал ли кто-нибудь из гостей в ту новогоднюю ночь, кого они увидели на пороге нового века? В память об этой новогодней ночи мать Александра заказала портрет малыша одному художнику.

Сейчас этот портрет хранится в Пушкинском музее.

Задание к текстам

1. Как вы поняли, что такое старый стиль и новый стиль?
2. Сколько суток составляет разница между старым и новым календарями?
3. Когда отмечают православный праздник Рождество Христово?
4. Когда встречают старый Новый год?
5. Какую легенду о семье Пушкиных вы узнали?
6. Где сейчас находится детский портрет Пушкина?

УРОК 5

Московский государственный университет

Читаем тексты

Вам знакомы эти слова?

Уточните их значение по словарю и переведите на родной язык.

ге́ний
гениа́льность *ж*
озаре́ние
озари́н (от озарения)
препара́т
невозмо́жно
заверша́ть, **заверши́ть** *что?*
диссерта́ция
каза́ться *несов кому? чем? кем?*
руководи́ть *несов чем? кем?*
предлага́ть, **предложи́ть** *что? кому?*
аспиранту́ра
всего́ = то́лько
доста́точно
любо́й
откры́тие
тяготе́ние
чу́до-табле́тка
оказа́ться *сов чем? кем?*
безда́рный
безда́рен
заявле́ние
запи́сываться, **записа́ться** *куда?*
о́чередь *ж*

***

пробле́ма в о́бласти *чего-либо*
на поро́ге откры́тия
оконча́тельное реше́ние
прийти́ на по́мощь *кому?*
не сто́ит ло́маного гроша́
на и́мя *кого*

Пять минут гениальности
(фантастическая история)

Это произошло несколько лет назад. Мой друг, с которым мы когда-то учились в школе, создал новый медицинский препарат — озарин. Таблетка озарина делала человека, принявшего её, на пять минут гением.

Купить озарин было невозможно, его получали только крупные учёные, работавшие над важными проблемами. Таблетка озарина помогала им завершить работу.

Я в то время уже закончил институт и работал над диссертацией. Ещё учась на третьем курсе, я заинтересовался одной проблемой в области автоматики. Работа моя казалась важной не только мне. Профессор, который руководил моей работой, предложил мне поступить в аспирантуру, чтобы продолжать работу.

Многие в институте интересовались моей работой, они считали, что я на пороге нового открытия. Я тоже так думал, но окончательного решения проблемы не мог найти.

И тут мой друг пришёл мне на помощь. Он предложил мне таблетку озарина, сказав, что она поможет мне завершить мой труд.

— Но действие таблетки продолжается всего пять минут, — сказал я.

— Ну и что? — ответил друг. — Пять минут гениальности — этого достаточно для любого открытия. Конечно, если бы Ньютон не занимался проблемой тяготения, он не решил бы эту проблему за минуту, увидев падающее яблоко. А у тебя будет пять таких минут. Ты несколько лет занимаешься этой проблемой, и пять минут гениальности помогут тебе найти её решение.

Я согласился. Ещё когда я был студентом, друзья и преподаватели считали мою работу очень интересной. Все были уверены, что я талантлив и умею работать, поэтому смогу решить самую трудную задачу.

С волнением я взял у друга чудо-таблетку. Я пришёл домой, сел за письменный стол, принял таблетку и стал ждать минуты гениальности.

И эти минуты пришли. Озарин действительно оказался чудесной таблеткой. В тот же день я закончил многолетнюю работу.

Уже в первую минуту действия озарина я увидел, что моя работа не стоит ломаного гроша и ничего не меняет в современной автоматике.

Во вторую минуту я с гениальной ясностью увидел, что я абсолютно бездарен.

Три оставшиеся минуты я писал заявление на имя директора нашего института. Я писал, что не могу оставаться в аспирантуре, так как должен прекратить работу над своей диссертацией.

Все говорили потом, что заявление было написано гениально.

Всё это я вспомнил, когда услышал, что скоро в аптеках можно будет купить озарин. Желающих купить его было так много, что они записывались в очередь.

Ну что ж, пусть покупают, озарин действительно чудо-препарат. Кто знает, что увидят они за пять минут гениальности.

По В. Бахнову

Задание к тексту

1. Какую историю рассказал автор?

2. От какого слова образовано название чудо-препарата «озарин»? Что значит это слово?

3. Расскажите, что вы знаете об истории гениальных открытий.

Грамматика

Выражение времени

Когда?

Простое предложение	Сложное предложение
Я встретил его **до концерта**. Я встретил его **перед концертом**.	Я встретил его **до того, как** начался концерт. Я встретил его **перед тем, как** начался концерт.
до чего? + существительное в Род. п. **после чего?** + существительное в Род. п. **перед чем?** + существительное в Твор. п.	**до того как** + глагол **после того как** + глагол **перед тем как** + глагол

Простое предложение	Сложное предложение
во время чего? + *Род. п.* **во время** лекции (концерта) **перед чем**? + *Твор. п.* **перед** лекцией (концертом)	**в то время как … ,** **В то время как** он звонил домой, я успел закончить письмо. **перед тем как … ,** **Перед тем как** пойти на почту, я закончил писать письмо. **прежде чем** **Прежде чем** позвонить ему, я нашёл его новый номер. **перед тем как** + *инф.* **прежде чем** + *инф.*

с тех пор (с того времени) как **…**
до тех пор (до того времени) **…**
до сих пор (до того времени) **…**

С тех пор как он уехал, я не получил от него ни одного письма.
До сих пор мы виделись часто, но сейчас я очень занят.

пока …	**пока не …**
Я ждал его, **пока** он заканчивал статью.	Я подожду тебя, **пока** ты **не** закончишь работу.

как только **…** .

Как только он вошёл, он сразу увидел письмо на столе.

Упражнения

I. а) Прочитайте предложения. Обратите внимание на употребление времени в простом и сложном предложении.

1. Я встретился с ним **до** начала каникул.
2. Я встретился с ним **перед** зимними каникулами.
3. Я встретился с ним **после** каникул.

1. Я встретился с ним **до того, как** начались каникулы
2. Я встретился с ним **перед тем, как** начались каникулы.
3. Я встретился с ним **после того, как** кончились каникулы.

б) Обратите внимание на употребление выражений времени, указывающих на одновременность и неодновременность действий.

1. **В то время как** я работал над диссертацией, мой друг занимался созданием нового медицинского препарата. 2. **Как только** я узнал о его препарате, я сразу позвонил ему. 3. **Прежде чем** принять таблетку, я сел за письменный стол. 4. **С тех пор как** появился новый препарат, прошло много времени.

с) Обратите внимание на употребление союзов **пока — пока не**.

Пока ты будешь на лекции, я подожду тебя в читальном зале.

Пока было светло, мы были на озере.

Я подожду тебя, **пока не** кончатся занятия.

Мы были на озере, **пока не** начался дождь.

II. Измените предложения, употребив союзы **до того как, после того как, перед тем как**.

Образец: Врачи смогли помочь мне **после** появления нового препарата.

Врачи смогли помочь мне **после того, как** появился новый препарат.

1. Последний раз мы виделись с ним **до** его отъезда в деревню. 2. Я обязательно позвоню **после** возвращения в Москву. 3. **Перед** поступлением в аспирантуру он много занимался этой проблемой. 4. **После** получения диплома он вернулся в родной город. 5. **До** создания первого русского университета русские люди могли получать высшее образование за границей. 6. **После** окончания торжественной части студенты и преподаватели выходили на центральные улицы Москвы. 7. **Перед** приходом в ресторан весёлой студенческой компании хозяева убирали дорогие ковры и ставили простую мебель.

III. Измените предложения, употребив союзы **до того как, после того как, перед тем как, как только**.

Образец: Сначала родители жили в деревне, потом переехали в город.

До того как родители переехали в город, они жили в деревне.

1. Он закончил переводить текст и посмотрел новый фильм по телевидению. 2. Я понял свою ошибку, когда преподаватель ещё раз

объяснил правило. 3. Я получил телеграмму от родителей и сразу позвонил сестре. 4. Перед отъездом из Москвы он последний раз встретился с друзьями. 5. Я уехал на север и больше не видел своего школьного друга. 6. Мы приехали на вокзал за десять минут до отхода поезда.

IV. Замените сложные предложения простыми.

Образец: **После того как** был отпразднован столетний юбилей университета, Татьянин день отмечался ежегодно.
После празднования столетнего юбилея университета Татьянин день отмечался ежегодно.

1. **После того как** учёный создал медицинский препарат, имя его стало известным. 2. **Перед тем как** принять таблетку озарина, я приготовил бумагу и ручку и сел за письменный стол. 3. **До того как** он окончил институт, он заинтересовался этой проблемой. 4. **Перед тем как** сдать последний экзамен, я был на консультации у профессора. 5. **После того как** заканчивалось богослужение в храме Святой Татьяны, все собирались в актовом зале университета. 6. **До того как** начинались зимние каникулы, студенты отмечали свой праздник.

V. Почитайте пословицы. Как вы их понимаете. Обратите внимание на употребление выражения времени.

1. **Когда** просит друг, не существует «завтра».
2. **Пока** живу, надеюсь.
3. Куй железо, **пока** горячо.
4. Здоровье не ценят, **пока не** приходит болезнь.
5. **После** дела за советом не ходят.
6. **После** нас хоть потоп.
7. **Век** живи — **век** учись.
8. **С тех пор** много воды утекло.
9. **Прежде чем** петь, научись говорить.
10. Обещанного **три года** ждут.
11. Аппетит приходит **во время** еды.

VI. Соедините предложения, употребив союзы **пока**, **пока не**.

Образец: Я работал над диссертацией.
Мой друг продолжал работать над новым препаратом.
Я работал над диссертацией, **пока** мой друг продолжал работать над новым препаратом.
Я работал над диссертацией.
Он закончил свою работу.
Я работал над диссертацией, **пока** он **не** закончил свою работу.

1. Она отдыхала у родителей.	Зимние каникулы продолжались. Зимние каникулы закончились.
2. Он часто звонил мне.	Я был в Москве. Я уехал.
3. Они ждали меня.	Я сдавал экзамен. Я сдал экзамен.
4. Мать сидела в кабинете врача.	Врач осматривал её ребёнка. Врач окончил осмотр.
5. Мы каждый день ходили на речку.	Стояла тёплая погода. Погода испортилась.
6. Я часто встречался с Андреем.	Он учился в институте. Он закончил институт.

VII. Дополните предложения глаголами нужного вида.

Образец: Он ждал меня, пока … работу. Мы не могли уйти, пока я не … .	заканчивать закончить

Он ждал меня, пока я **заканчивал** работу.
Мы не могли уйти, пока я не **закончил** работу.

1. Я не мог взять у него словарь, пока он не … новый текст. Пока он … текст, я писал упражнения.	переводить перевести
2. Я не знал, что ты вернулся в Москву, пока Нина не … мне об этом. Пока она … по телефону, я успел послушать новости.	говорить сказать
3. Он очень волновался, пока не … это письмо. Он не волновался, пока часто … письма из дома.	получать получить
4. Пока я … эту статью, мой друг работал над новым препаратом. Я не мог встретиться с ним, пока не … эту статью.	писать написать

5. Он не знал о новом препарате, пока не … о нём в научном журнале. Пока он занимался этой проблемой, он … все публикации на эту тему.	читать прочитать
6. Я каждый день встречал его в институте, пока он не … . Пока он …, я каждый день приходил к нему.	болеть заболеть

VIII. Закончите фразы.

1. До того как открыли первый русский университет, … .
2. После того как он окончил институт, … .
3. Пока я учился в институте, … .
4. Пока учёные не создали новый препарат, … .
5. С тех пор как я уехал из Москвы, … .
6. Перед тем как выйти из дома, … .
7. Как только я вошёл в комнату, … .
8. Прежде чем позвонить другу, … .
9. Пока родители не приехали, … .
10. До тех пор пока брат не вернулся на родину, … .

IX. Соедините предложения, используя соответствующие союзы времени.

Образец:	В 1855 году отметили 100 лет со дня основания Московского университета.	**С этого времени** Татьянин день стал отмечаться ежегодно.

С тех пор как в 1855 году отметили 100 лет со дня основания, университета, Татьянин день стал отмечаться ежегодно.

1. Я продолжал учиться в университете.	Мой друг стал инженером.
2. Медики создали новый медицинский препарат.	До создания нового препарата эту болезнь не могли вылечить.
3. Я учился на третьем курсе.	В то время профессор предложил мне тему диссертации.
4. Мы сдавали экзамен.	Нам нужно было много заниматься.
5. Он окончил институт.	Через три года он поступил в аспирантуру.

6. Он закончил работу над диссертацией.	Его пригласили в наш институт.
7. Тётя пригласила меня на лето в деревню.	Я с радостью поехал к ней.

X. Прочитайте текст. Дополните предложения следующими глаголами, употребив их в нужной форме соответствующего вида.

создавать — создать,
покупать — купить,
получать — получить,
находить — найти,
предлагать — предложить,
принимать — принять,
приходить — прийти,
понимать — понять,
писать — написать.

Мой друг, с которым я когда-то учился в школе, **...** новый медицинский препарат — озарин. Таблетка озарина делала человека, принявшего её, гением на пять минут. Никто не мог **...** озарин, его могли **...** только учёные, занимавшиеся важными проблемами. Мой друг знал, что я работаю над важной проблемой и не могу **...** решения этой проблемы. Он **...** мне таблетку озарина. Я **...** таблетку и стал ждать минуты гениальности. И эти минуты **...** . За первые две минуты я **...** , что моя работа ничего не стоит. Последние три минуты я **...** заявление, что должен прекратить работу над диссертацией.

XI. Дополните предложения по образцу.

Образец: Он окончил **Московский университет**. Сестра тоже училась в **Московском университете**. Андрей студент **Московского университета**.

1. В университете работают **известные учёные**. Мы пригласили **...** . Мы говорим об **...** .
2. Татьянин день — **весёлый студенческий праздник**. Мы были на **...** . На сцене выступали гости **...** .
3. Мы вошли в **актовый зал**. Собрание было в **...** . Когда кончилась торжественная часть, все вышли **...** .
4. В гости к студентам приехали **городские власти**. Студенты слушали выступления **...** . Девушки подарили цветы **...** .
5. В ресторан вошла **большая компания студентов**. Хозяин ресторана встретил **...** . Все столы ресторана были заняты **...** .
6. До поздней ночи продолжался **праздничный вечер**. Мы долго готовились **...** . Друг рассказал мне **...** .

Для самостоятельного чтения

Вам знакомы эти слова?

Уточните их значение по словарю и переведите на родной язык.

ука́з
созда́ние *чего?*
основа́ние *чего?*
покрови́тель *м*
покрови́тельница
торже́ственно
отмеча́ть | *что?* (праздник)
отме́тить |
ежего́дно
богослуже́ние
представи́тель *м*
прерыва́ть | *что?*
прерва́ть |
возрожда́ться |
возроди́ться |

выпускни́к *чего?* (школы, университета)
постепе́нно
наста́вник

***

а́ктовый зал
веду́щий учёный
как пра́вило
власть *ж*
толпа́
прохо́жий
торже́ственная часть
вы́сшая (городска́я) **власть**

Татьянин день

25 января (12 января по старому стилю) 1755 года дочь Петра I императрица Елизавета Петровна подписала указ о создании первого русского университета в Москве.

Создание русского университета было одной из главных целей великого русского учёного Михаила Васильевича Ломоносова, который был уверен, что «может собственных Платонов и быстрых разумом Ньютонов российская земля рождать».

О значении Ломоносова хорошо сказал Пушкин: «Ломоносов был великий человек… он создал первый университет, он, лучше сказать, сам был первым нашим университетом».

День основания университета 25 января (12 января по старому стилю) — день святой Татьяны. Святую Татьяну считали покровительницей университета и студентов, а Татьянин день стал весёлым студенческим праздником.

Особенно торжественно Татьянин день был отмечен в юбилейный 1855 год — год столетия со дня основания университета. С тех пор Татьянин день отмечался ежегодно.

Праздник начинался с богослужения и торжественного выступления в актовом зале университета ведущих учёных, преподавателей и гостей университета. Как правило, на торжественной части присутствовали представители высшей городской власти. Торжественная часть заканчивалась исполнением гимна «Gaudeamus igitur».

После окончания торжественной части весёлая толпа студентов и наиболее любимых преподавателей выходила на центральные улицы Москвы. То там, то здесь прохожие слышали «Gaudeamus» и весёлые студенческие песни. Люди знали — это праздник студентов, Татьянин день. В этот день полиция не мешала студентам: они были хозяевами города. В дорогих ресторанах, куда могла зайти компания студентов, хозяева убирали ковры и дорогую мебель. В залы ставили простые столы и стулья. На столах была недорогая еда в дешёвой посуде и недорогие вина. Здесь студенты могли веселиться до утра. Им никто не мешал.

Этот шумно-весёлый праздник был частью Москвы, частью её жизни.

Традиция отмечать Татьянин день была надолго прервана после революции и вновь возродилась в девяностые годы XX века.

Сейчас Московский университет ежегодно отмечает Татьянин день. Как и раньше, праздник начинается с богослужения, потом идёт торжественное собрание в актовом зале. Выступают преподаватели и гости университета, его выпускники. Потом в доме культуры МГУ начинается концерт с интересной и разнообразной программой.

Татьянин день отмечается не только в Московском университете, постепенно он стал общим праздником всех студентов и их старших друзей и наставников-преподавателей.

Задание к тексту

1. Почему праздник студентов называется «Татьянин день»? Когда он отмечается?
2. Как отмечали этот праздник раньше и как отмечают его в наше время?
3. Есть ли в вашей стране студенческие праздники? Как они называются и когда отмечаются?

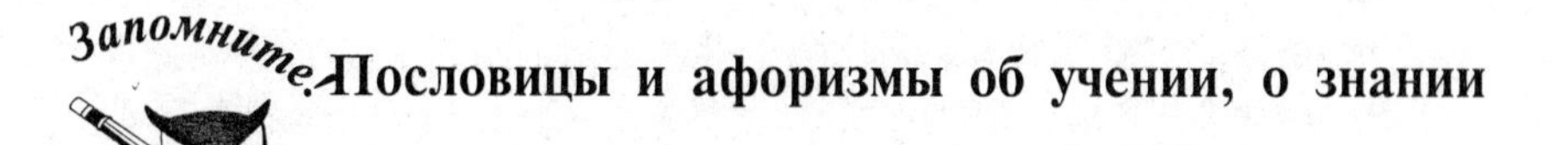

Пословицы и афоризмы об учении, о знании

Знание — сила.
Бекон

Наука — капитан, а практика — солдаты.
Леонардо да Винчи

Знание — дочь опыта.
Леонардо да Винчи

Учиться никогда не поздно.

Век живи — век учись.

Ученье — свет, а неученье — тьма.

Повторенье — мать ученья.

Опыт — лучший учитель.

На ошибках учатся.

Знай больше, говори меньше.

Надо много учиться, чтобы понять, что знаешь мало.
Монтень

Не говори всегда, что знаешь, но знай всегда, что говоришь.
Клавдий

Гимн студентов
(отрывок)

Gaudeamus

Gaudeamus igitur,	Итак, будем веселиться,
Juvenes dum sumus!	Пока мы молоды!
Post jucundam juventutem,	После приятной юности,
Post molestam senectutem	После тягостной старости
Nos habebit humus. (bis)	Нас возьмёт земля.
Vivat Academia,	Да здравствует университет,
Vivat professores!	Да здравствуют профессора!
Vivat membrum quodlibet,	Да здравствует каждый член его,
Vivat membra quaelibet	Да здравствуют все члены,
Semper sint in flore! (bis)	Да вечно они процветают!

УРОК 6

Микеланджело. Моисей

Читаем тексты

Вам знакомы эти слова?

Уточните их значение по словарю и переведите на родной язык.

побе́да
победи́тель *м*
ко́нкурс
ста́туя
обеща́ть, **пообеща́ть** *что? кому?*
пре́мия
ску́льптор
сообща́ть, **сообщи́ть** *что? кому?*
но́вость *ж*
го́рный
верши́на
наде́яться *несов на кого? на что?*

создава́ть, **созда́ть** *что?*
причи́на
уда́чный
успева́ть, **успе́ть** *что сделать?*
сла́ва
бога́тство
бе́дный
бога́тый
всё-таки
успе́х
иску́сство
кро́ме *кого? чего?*

сто́рож
мра́мор
лёгкость *ж*
простота́
ли́ния
изобража́ть | *что?*
изобрази́ть |
фигу́ра
черти́ть *несов что?*
песо́к
выража́ть | *что?*
вы́разить |
уве́ренность *ж*
ум
наде́жда *на что?*
каза́ться | *чем?*
показа́ться |
муче́ние
тоска́
и́менно
реше́ние
разбива́ть | *что?*
разби́ть |
слёзы *мн*
уничтожа́ть | *что?*
уничто́жить |
неуда́вшийся
споко́ен
вы́бор *чего?*

***

принима́ть уча́стие | *в чём-либо?*
приня́ть уча́стие |
член жюри́
в о́бщем
в тече́ние ча́са (дня, недели, года)
с восхище́нием
нет друго́го вы́бора
одержа́ть побе́ду = победи́ть

Победитель

Это произошло в одном небольшом городе. Архитектурная комиссия, строящая университет, организовала конкурс на лучшую статую, которая должна стоять у входа в университет. Победителю конкурса комиссия обещала премию — три тысячи фунтов.

Четырнадцать скульпторов приняли участие в конкурсе. Но и члены жюри, и жители города понимали, что победителем может стать только один из двух скульпторов: Геннисон или Ледан. Они были самыми талантливыми.

Геннисон поздно вернулся домой. Жена, открыв ему дверь, увидела, что муж радостно улыбается.

— Извини, — сказал он жене, — я опоздал немного, потому что встретил профессора, члена жюри. Он сообщил мне приятную новость.

— Ох, я боюсь твоих новостей, — сказала жена. — Обычно, когда ты приносишь «приятную» новость, у нас на другой день не бывает денег.

— Но на этот раз, кажется будут, — ответил Геннисон. — Думаю, что премию на выставке дадут мне. Профессор спросил меня:

«Милый мой, это ваша статуя «Женщина с книгой, ведущая ребёнка вверх по горной дороге к вершинам знания?» Я, конечно, ничего не ответил, но он продолжал: — «Эта статуя понравилась нам больше всего. Я сообщаю вам это, потому что люблю вас и надеюсь на вас».

— О, я уже вижу эти три тысячи. Да, это так и будет. Говорят, есть ещё две хорошие работы, но моя лучше. Но почему профессор ничего не сказал о Ледане?

— Я думаю, — тихо сказала жена, — что нам ещё рано говорить о победе. Мы не знаем, какую статую создал Ледан.

— Дорогая, — отвечал Геннисон, — Ледан талантливее меня, но есть причины, почему он не получит премию. Его не любят, его работы не всем нравятся, многие его не понимают. В общем, профессор сказал, что моя «Женщина с книгой...» — самый удачный символ науки, ведущей человека к вершине знания.

— Но почему он не говорил о Ледане? — повторила жена.

— Он просто не любит его. Только так я могу объяснить это.

Они пообедали и продолжали говорить, что они сделают, когда получат деньги. За шесть месяцев работы Геннисона для конкурса их мечты впервые стали почти реальными.

В течение десяти минут жена побывала в лучших магазинах, купила много нужных вещей, переехала в прекрасную квартиру.

А Геннисон за десять минут успел побывать в Европе, отдохнуть и начать новые работы, которые принесут ему славу и богатство.

Но когда после разговора с женой Геннисон посмотрел вокруг, он увидел, что сидит всё в той же бедной комнате. Нужно было ждать, ждать ...

И всё-таки Геннисон не был уверен в успехе, он волновался и не хотел показать своё волнение жене.

Наконец он посмотрел на часы и встал.

— Я пойду в студию и посмотрю, нет ли там статуи Ледана, — сказал он.

Жена внимательно посмотрела на мужа, её волновала та же мысль.

— Конечно, мой друг, — ответила она, — ты должен интересоваться искусством. Иди, я буду ждать тебя.

Студия находилась недалеко в здании Школы искусств. В этот вечерний час там не было никого, кроме старого сторожа, который давно и хорошо знал Геннисона. Войдя в студию, Геннисон сказал:

— Откройте, пожалуйста, зал. Я хочу ещё раз посмотреть на свою работу.

Сторож открыл дверь зала и включил свет. Геннисон сразу увидел свою модель и стал искать глазами работу Ледана. Сторож вышел.

Геннисон ещё раз внимательно осмотрел зал и вдруг увидел небольшую белую статую из мрамора. Это была работа Ледана, которую он сразу узнал по чудесной лёгкости и простоте линий. Ледан изобразил фигуру молодой женщины в лёгкой одежде. Женщина чертила на песке геометрическую фигуру. Правильное лицо женщины, её серьёзные глаза выражали уверенность и ум.

Геннисон с восхищением смотрел на статую.

— Да, — сказал он наконец, — это настоящее искусство. Как живёт! Как дышит!

Потом он медленно подошёл к «Женщине с книгой...», которую создал сам с надеждой на победу.

Он ясно увидел ошибки, не замеченные им раньше. Его статуя была достаточно хороша, но рядом со статуей Ледана, сделанной уверенной рукой мастера, она казалась скорее плохой, чем хорошей. С мучением и тоской Геннисон понял, что работа Ледана лучше, а потому именно Ледан должен стать победителем конкурса. За несколько минут Геннисон прожил вторую жизнь, после чего к нему пришло только одно решение. Он разбил свою статую. Он сделал это без слёз. Серьёзно и просто, как уничтожают неудавшееся письмо.

— Теперь Ледан может быть спокоен, — сказал он себе, — так как у жюри не остаётся другого выбора.

Задание к тексту

1. Расскажите историю, которую вы прочитали.

а) Где произошла эта история?

б) Какой конкурс объявила архитектурная комиссия?

в) Кто участвовал в конкурсе? Кто и почему стал победителем конкурса?

2. Помогает ли понять смысл рассказа высказывание древнегреческого философа Платона: «Победа над собой — величайшая из побед»? Если да, то кто одержал такую победу?

3. Прочитайте высказывание об искусстве.

Когда великого французского скульптора Родена спросили, как он создаёт свои скульптуры, он ответил:

> Беру камень и убираю всё лишнее.

Помогает ли это высказывание Родена понять, почему скульптура Ледана была лучше?

4. Прочитайте ещё несколько афоризмов и пословицу, которые могут помочь понять смысл рассказа.

> Коротко и ясно, оттого и прекрасно.

> Краткость — сестра таланта.
> *А.П. Чехов*

> Краткость — душа ума.
> *Шекспир*

Грамматика

Выражение причины и следствия

Выражение причины в простом предложении

из-за + *Род. п.* (из-за кого? чего?) **Из-за тебя** я опоздал на лекцию. **Из-за дождя** мы не поехали за город.	**благодаря** + *Дат. п.* (благодаря кому? чему?) **Благодаря твоей помощи** я смог перевести этот рассказ.
Из-за употребляется для выражения причины, препятствующей действию.	**Благодаря** употребляется для выражения причины, способствующей действию.

от + ***Род. п. (от чего?)***

от радости	от голода
от горя	от жажды
от страха	от холода
от волнения	от жары
от болезни	от дождя

От волнения он ничего не мог сказать.

Мы шли по траве, мокрой **от дождя**.

по + *Дат. п.*

по ошибке
по неопытности
по моей (вашей и т.д.) вине

По ошибке я зашёл не в ту комнату.

Выражения причины в сложном предложении

из-за того, что
благодаря тому, что
потому что
так как

Он не пришёл, **потому что (так как)** заболел.

Он не пришёл **из-за того, что** заболел.

Он смог перевести этот рассказ, **потому что** хорошо знал русский язык.

Он смог перевести этот рассказ **благодаря тому, что** хорошо знал русский язык.

Выражение причины и следствия

Причина	Следствие
Из-за того что тётя заболела, мы не пошли на Рождественскую службу. Девушки не захотели петь романсы, **потому что** пришли без гитары.	Тётя заболела, **поэтому** мы не пошли на Рождественскую службу. Девушки пришли без гитары, **поэтому** не захотели петь романсы.

Упражнения

I. Соедините предложения по образцу.

Образец: Шёл сильный снег.
Я потерял дорогу к деревне.
Из-за сильного снега я потерял дорогу к деревне.

1. Мать не пошла на работу. Заболела младшая дочь.
2. Рыбаки не вышли в море. Был сильный ветер.
3. Мы не поехали за город. Была плохая погода.
4. Вертолёт не мог подняться в воздух. Был густой туман.
5. Он не смог перевести этот текст. Он плохо знал английский.

II. Дополните предложения предлогами **из-за** или **от**.

1. ... жаркой погоды воды в реке стало меньше.
2. Трава была сухой и жёсткой ... жары.
3. Листья на деревьях были мокрыми ... дождя.
4. ... дождя путешественники остались в деревне ещё на один день.
5. Я долго шёл по полю, белому ... снега.
6. ... ветра и снега мне трудно было идти.

III. Употребите нужные по смыслу предлоги: **из-за, от, по.**

1. Она ... радости засмеялась.
2. Отец ... болезни потерял работу.
3. Он шёл по улицам города, ничего не видя ... горя.
4. Скульптуры Ледана не нравились жюри ... одной причине: его не все понимали.
5. Когда Геннисон увидел работу Ледана, сердце его забилось ... волнения.
6. ... ошибке я открыл дверь соседней комнаты.
7. ... сильного шума я не услышал, как меня позвали.
8. ... этой болезни есть только одно лекарство.

IV. Закончите фразы, употребив данные слова в правильной форме и нужные по смыслу предлоги **из-за** или **благодаря**.

1. Человек мог стать гением на пять минут	применение нового препарата
2. Мы не успели на эту электричку	твоё опоздание

3. Маленькая девочка быстро поправилась … .	помощь чудесного доктора
4. Ничего не было видно … .	начавшаяся метель
5. Ты можешь победить на конкурсе … .	твой талант
6. Скульптор и его жена думали о том, как изменится их жизнь … .	полученная премия
7. Статуя Геннисона казалась скорее плохой, чем хорошей … .	сравнение со статуей Ледана
8. Настоящим победителем стал Геннисон … .	победа над собой

V. Измените предложения, употребив союзы **благодаря тому что**, **из-за того что**.

Образец: **Благодаря** созданию нового препарата (лекарства) врачи смогли бороться с тяжёлой болезнью.

Благодаря тому что был создан новый препарат, врачи смогли бороться с тяжёлой болезнью.

1. Многие студенты стали хорошими врачами **благодаря** учёбе у профессора Пирогова.
2. **Из-за** болезни тёти мы не поехали на Рождество в соседнюю деревню.
3. Он стал чувствовать себя лучше **благодаря** занятиям спортом.
4. Я не мог встретиться с тобой **из-за** неожиданного приезда брата.
5. **Благодаря** победе на конкурсе молодой художник смог продолжить учёбу в Италии.
6. Вода в реке поднялась **из-за** сильных дождей.

VI. Замените в предложениях союз **потому что** союзами **из-за того что, благодаря тому что, так как**.

1. Жена волновалась, потому что Геннисон сильно опаздывал к ужину.
2. Члены комиссии выбрали статую Геннисона, потому что хорошо знали и любили его работы.
3. Турист не понял вопроса служащего отеля, потому что плохо знал английский язык.
4. Он смог вовремя закончить работу, потому что друг помог ему.
5. Мерцалов долго сидел на скамейке в зимнем парке, потому что не мог вернуться в свою бедную и холодную квартиру.
6. В комнате стало тепло, а на столе появилась еда, потому что доктор оставил Мерцаловым деньги.

VII. Измените предложения по образцу.

Образец: Старый Новый год отмечают в России в ночь с тринадцатого на четырнадцатое января, **потому что** разница между старым и новым календарём 13 дней.
Разница между старым и новым календарём 13 дней, **поэтому** старый Новый год отмечают в ночь с тринадцатого на четырнадцатое января.

1. Татьянин день стал студенческим праздником, **потому что** Московский университет был основан 25 января в день святой Татьяны.
2. Никто не мешал студентам шуметь и веселиться всю ночь, **потому что** 25 января в свой праздник студенты становились хозяевами города.
3. Я поехал в деревню, **потому что** тётя пригласила меня на рождественские каникулы.
4. Известного русского хирурга Пирогова называли «чудесным доктором», **потому что** он очень много помогал людям.
5. Песню Талькова «Россия» услышала вся страна, **потому что** ведущий популярной телепередачи сделал клип «Россия» для своей программы.
6. Стихи и песни Талькова стали популярны, **потому что** Тальков писал о том, что волновало его современников.

VIII. Соедините предложения, употребив союзы **потому что** или **поэтому**.

Образец: Геннисон опоздал к ужину. Он встретил профессора — члена жюри.
Геннисон опоздал к ужину, **потому что** встретил профессора — члена жюри.
Муж долго не возвращался домой. Жена волновалась.
Муж долго не возвращался домой, **поэтому** жена волновалась.

1. Когда я учился в институте, я пел в хоре. Я знал много песен военных лет.
2. Слушая песни девушек, я удивился. Многие песни я слышал в первый раз.
3. Меня удивили песни, которые пели девушки. Это были песни времён моей молодости.
4. Я пел в студенческом хоре. Мне казалось, что я хорошо знаю песни своего времени.

5. Автор этой песни забыт. Она давно исполняется как народная.
6. Девушки не захотели петь романсы. У них не было гитары.
7. Мои новые знакомые не могли позвонить мне. Я забыл дать им свой телефон.

IX. Прочитайте текст. Употребите глаголы движения **идти** или **ехать** в правильной форме с нужной приставкой.

Когда Геннисон ... из студии, он встретил профессора. Они долго говорили о конкурсе. Геннисон ... домой поздно. Он принёс жене хорошую новость. Он может стать победителем конкурса.

Геннисон мечтал ... в Италию, а жена хотела ... в новую квартиру. Но пока это были только мечты.

Вечером Геннисон решил снова ... в студию, которая была недалеко от дома. Когда он ... в студию, там был только старый сторож. Сторож открыл дверь в зал, где стояли скульптуры. Геннисон ... в зал. Сначала он ... к своей статуе, потом он увидел работу Ледана. Он ... к этой прекрасной статуе. От волнения ему трудно было дышать. Он понял: работа Ледана лучше. Ледан должен быть победителем, поэтому Геннисон вернулся к своей скульптуре и разбил её, чтобы у жюри не было другого выбора.

X. Дополните предложения, употребив краткие или полные причастия в правильной форме.

1. В городе был ... конкурс на лучшую скульптуру. Он участвовал в конкурсе, ... архитектурной комиссией.	организованный организован
2. Он увидел скульптуру, ... Леданом. Эта скульптура ... недавно.	созданный создан
3. Премия была ... за победу на конкурсе. Они говорили о том, как использовать ... премию.	полученный получен
4. Певец был ... во время концерта. Друзья вспоминали о певце, ... пять лет назад.	убитый убит
5. За короткую жизнь им было ... много песен. Песни, ... им, были очень популярны.	написанный написан
6. Это письмо ... утром. В письме, ... утром, были фотографии родителей.	полученный получен

7. Как только началась метель, за мной был **...** работник. Работник, **...** за мной, привёз меня домой. | посланный / послан

XI. Измените предложения по образцу.

Образец: Незнакомец, **встреченный Мерцаловым**, был профессор Пирогов.
Незнакомец, **которого встретил Мерцалов**, был профессор Пирогов.

1. Календарь, **введённый Петром Первым**, существовал в России до 1918 года.
2. В библиотеке, **собранной поэтом**, было много книг по истории России.
3. В книге**, купленной недавно**, были прекрасные стихи.
4. Песня, **спетая девушками**, была мне незнакома.
5. В зал вошли гости, **приглашённые на вечер**.

XII. Ответьте на вопросы, употребив союзы **потому что, так как** и т.д. Ответы найдите в тексте «Победитель» (с. 83).

1. Почему статуя, созданная скульптором, должна была быть символом науки?
2. Почему Геннисон вернулся домой радостным?
3. Почему члены жюри выбрали статую Геннисона?
4. Почему Геннисон не был уверен в своей победе?
5. Почему он решил вечером пойти в студию?
6. Почему Геннисон уничтожил свою работу?
7. Как вы думаете, сколько победителей в рассказе и почему?

Для самостоятельного чтения

Вам знакомы эти слова?
Уточните их значение по словарю и переведите на родной язык.

тре́нер	**сопе́рник**
упря́мо	**ра́вный** *кому? чему?*
тра́вма	**ро́слый**
соревнова́ние	**ненави́деть** *несов кого? за что?*
бесполе́зно	**перечисля́ть** *несов что?*

вы́стрел
бегу́н
бег
носи́лки *мн*
упу́щен (-о, -а)
вы́играть *сов*
аплоди́ровать *несов*

***

дать о себе́ знать
дли́нная дistáнция
тяжёлое дыха́ние
до́брый ма́лый
очередно́е соревнова́ние
очередна́я побе́да
ста́ртовый пистоле́т
не своди́ть глаз *с кого? чего?*
исче́знуть из по́ля зре́ния
сбавля́ть темп
бу́дто очну́вшись
не обраща́ть внима́ния

Чемпион

Чемпион был уже не молод, тело его устало от тренировок и побед. И он сам, и его тренер подумывали о конце спортивной карьеры. Тем более что старые травмы давали о себе знать. Но что-то упрямо говорило ему: «Ещё одна победа, и я уйду».

По утрам отец, как всегда, пробегал длинную дистанцию. Тренеру не нравилось его слишком тяжёлое дыхание по окончании тренировок. Но он понимал, что спорить с отцом бесполезно. Впереди были очередные соревнования, в которых отец в последний раз хотел принять участие.

Теперь у отца, который в течение долгих лет не имел соперника, равного себе, вот уже год, а может быть, два, появился такой соперник. Молодой, рослый, красивый парень с добрым лицом. После каждой победы отца он первый поздравлял его. А я, не пропускавший соревнований отца, ненавидел этого доброго малого за то, что отцу приходилось тратить лишние силы на очередную победу.

И вот соревнование. Диктор объявляет участников соревнования, перечисляя все титулы Чемпиона, бегущего по второй дорожке. По третьей бежит его молодой соперник. Выстрел стартового пистолета, и бегуны побежали.

Я не сводил глаз с отца и его соперника. Они шли почти ровно. И вдруг, соперник исчез из поля моего зрения. Я даже не понял, что случилось, потому что в этот момент смотрел только на отца и понимал, что сил у него осталось немного. Отец остановился и, не сбавляя темпа, побежал назад. Тут только я увидел, что молодой соперник лежит на дорожке и не может подняться. Отец успел подбежать к нему быстрее медиков. Вместе с врачами отец поднял своего соперника и положил его на носилки.

Другие спортсмены продолжали бежать, и отец, будто очнувшись, продолжил свой бег. Никогда, даже в лучшие свои годы, он так не бежал. Но время было упущено. Чемпион пришёл к финишу четвёртым. Весь стадион, не обращая внимания на тех, кто выиграл соревнование, стоя аплодировал моему отцу. «Браво, Чемпион!» — кричали люди. Отец устало улыбался, а я был счастлив, как никогда.

Задание к тексту

1. Расскажите историю о Чемпионе.
2. Почему люди стоя аплодировали и, хотя он и не занял призового места, кричали ему: «Браво, Чемпион»?

УРОК 7

Б.М. Кустодиев. Красавица

Читаем тексты

Вам знакомы эти слова?

Уточните их значение по словарю и переведите на родной язык.

худо́жник
рисова́ние
о́чередь *ж*
прови́нция
провинциа́льный
душа́
сохраня́ть | *что?*
сохрани́ть |
меда́ль *ж*
дипло́м
жени́ться *сов и несов на ком?*
зва́ние
пра́во
быт
я́рмарка
обы́чай
те́ма *(картины, рассказа и т.д.)*
портре́т
устра́ивать | *что?*
устро́ить |
музыка́нт
гостеприи́мный
избира́ть | *кого? куда? кем?*
избра́ть |
жи́вопись *ж*
при́знак *чего?*
декора́ция
режиссёр
жизнера́достный
ю́ный

пиани́ст
боро́ться *несов с кем? с чем?*
свиде́тельство *чего?*

***

Акаде́мия худо́жеств
театра́льная ка́сса
мастерска́я худо́жника
кру́пный худо́жник
дипло́мная рабо́та
инвали́дное кре́сло
наде́жда на лу́чшее

Борис Кустодиев

Известный русский художник Борис Михайлович Кустодиев родился в 1878 году в городе Астрахани на Волге. Отец умер, когда мальчику не было ещё двух лет. Мать одна растила детей, их в семье было четверо. Семья жила не богато, но дружно. Дети, как могли, помогали матери.

Борис рано начал рисовать, а в пятнадцать лет стал брать уроки рисования у художника. Художник заметил талант мальчика и посоветовал ему продолжать учение.

В 1896 году Борис поехал в Петербург и поступил в Академию художеств.

Он часто пишет домой о своей новой жизни. Он увлекается театром и музыкой, по нескольку часов стоит в очереди у театральной кассы, чтобы купить билеты в оперу или на балет. Часто ходит на выставки. Но несмотря на интересную жизнь в Петербурге, ему хочется вернуться домой. Природа и провинциальная жизнь ближе его душе, чем жизнь большого города. Эту любовь к русской провинции он сохранит на всю жизнь.

Уже на втором курсе Кустодиева принимают в мастерскую крупного русского художника И.Е. Репина[1]. Картины молодого Кустодиева появляются на выставках. На выставке в городе Мюнхене Кустодиев получил золотую медаль за портрет художника И.Я. Билибина[2].

Тему дипломной работы Кустодиев выбирает из жизни русской провинции: «Базар в деревне». В деревне, куда приезжают друзья-художники для работы, Кустодиев знакомится с девушкой Юлией, которая станет его женой.

---

[1] **Репин И.Е.** (1844–1930) — известный русский художник-реалист, автор многих картин, в том числе картины «Иван Грозный и сын его Иван».

[2] **Билибин И.Я.** (1876–1942) — русский театральный художник.

В 1903 году Кустодиев оканчивает академию и в этом же году женится на Юлии.

За дипломную работу «Базар в деревне» он получает золотую медаль, звание художника и право поехать за границу на один год.

Он изучает работы мастеров в Италии, Испании, Франции, занимается в студии французского художника Рене Менаре в Париже.

Но за границей он пробыл всего полгода. Русская природа, русский быт, русская жизнь зовут его в Россию.

Вернувшись в Россию, Кустодиев едет в провинцию. Здесь ему всё интересно: русские праздники, ярмарки, обычаи русской деревни и провинциального города. Всё это станет темами его самых известных картин: серия «Ярмарка», «Масленица»[1], «Осень в провинции», «Праздник в деревне» и другие.

В семейной жизни Кустодиев счастлив. У него прекрасная любящая жена и двое детей: сын и дочь. Он с любовью пишет их портреты.

В доме Кустодиева всегда много гостей. Для детей устраивают весёлые детские праздники.

Известные русские художники и музыканты частые гости этой доброй и гостеприимной семьи.

Кустодиев очень много работает. В 1909 году Кустодиева избирают академиком живописи. Ему 31 год, и вся жизнь ещё впереди. Но вскоре у художника появляются признаки тяжёлой болезни, начинаются сильные головные боли, болят руки. Ему делают операцию. Но операция не помогает, и через три года Кустодиев может работать и передвигаться только сидя в инвалидном кресле.

Однако болезнь не мешает ему работать больше, чем когда-либо. Он пишет театральные декорации и целый день в своём кресле проводит в театре.

В письме к знакомому режиссёру он пишет: «…не говорите о моей болезни никому… я здоров, а главное, весел… Я сам удивляюсь на свою жизнерадостность. Уж очень люблю, видно, жизнь!!»

---

[1] **Масленица** или сырная неделя — древний русский праздник — проводы зимы и встреча весны. Отмечается в конце февраля — начале марта. Праздник продолжается неделю. Главное блюдо на праздничном столе — блины. Круглый золотой блин символизировал солнце.

Несмотря на болезнь художника, в доме Кустодиевых, как и раньше, много гостей. В их числе юный пианист Митя — будущий известный композитор Дмитрий Шостакович.

Жена Кустодиева во всём помогает мужу: она и его секретарь, и его ассистент. Дети тоже помогают отцу.

Друзья, семья, любимая работа дают силы бороться с болезнью.

Кустодиев во время работы над декорациями к оперному спектаклю знакомится со знаменитым русским певцом Фёдором Шаляпиным[1]. С этого времени началась их дружба. В 1921 году Кустодиев пишет портрет Шаляпина. Это один из лучших портретов художника.

Б. Кустодиев. Эскиз к портрету Ф.И. Шаляпина

В 1925 году Кустодиев начал работу над своей последней большой картиной «Русская Венера». Он закончил картину в 1926 году.

В мае 1927 года художника не стало. Он прожил короткую, но яркую жизнь. За 49 лет своей жизни Кустодиев успел сделать многое. Каждая картина художника — это свидетельство его великой любви к своей родине. Его солнечные картины дарят нам радость, дают надежду на лучшее.

Задание к тексту

1. Расскажите о жизни художника Кустодиева.
   1) Где и когда он родился? В какой семье?
   2) Когда он начал рисовать?
   3) Когда он поступил в Академию художеств?
   4) Расскажите об учёбе в академии.
   5) Расскажите о его жизни и работе после окончания академии.
   6) Что вы можете сказать о главной теме картин Кустодиева?

---

[1] **Шаляпин Фёдор Иванович** (1873 – 1938) — знаменитый русский певец, бас. Лучшие оперные партии Шаляпина Борис («Борис Годунов» М.П. Мусоргского), Мефистофель («Фауст» Ш. Гуно), Сусанин («Жизнь за царя» М.М. Глинки) и другие.

2. Знаете ли вы какие-либо картины русских художников? Где и когда вы их видели?
3. Назовите вашего любимого художника.
4. Прочитайте отрывок из стихотворения Н. Заболоцкого «Портрет». Вы согласны с поэтом?

Любите живопись, поэты!
Лишь ей, единственной, дано
Души изменчивой приметы переносить на полотно <…>

Запомните!

Высказывания об искусстве

Дело не в том, чтобы научиться рисовать, а в том, чтобы научиться мыслить.
Стендаль

Искусство есть одно из средств единения людей.
Л.Н. Толстой

Жизнь коротка, искусство долговечно.
Гиппократ

И искусство и наука принадлежат одинаково всему народу.
Гёте

Искусство вечно, как и сама жизнь.
Ф. Шаляпин.

У искусства есть враг, имя которому невежество.
Кеннеди

Живопись — это поэзия, которую видят, а поэзия — это живопись, которую слышат.
Леонардо да Винчи

Люди, делающие искусство своим бизнесом, по большей части мошенники.
Пикассо

Искусство — это попытка создать рядом с реальным миром другой, более человечный мир.
Моруа

Выражение цели

для кого? чего? + *Род. п.*
за чем? за кем? + *Твор. п.*
на что? + *Вин. п.*

Она купила подарки **для родителей** (*для кого?*).
Сестра пошла в магазин **за хлебом** (*за чем?*).
Я зашёл в общежитие **за другом** (*за кем?*).
Мы потратили деньги **на книги** (*на что?*).

Простое предложение	Сложное предложение
за + *Твор. п.*	**чтобы + *инф.***
Я зашёл в киоск **за свежими газетами.**	Я зашёл в киоск, **чтобы купить газеты**.

Сложное предложение	
чтобы + *прош.* время	**чтобы + *инф.***
Я взял журнал, **чтобы ты перевёл** эту статью.	Я взял журнал, **чтобы перевести** эту статью.

Примечание. Если два разных действия совершают разные лица, после **чтобы** употребляется прошедшее время.

Примечание. Если два разных действия совершает одно лицо, после чтобы употребляется инфинитив.

После глаголов движения союз ***чтобы*** может опускаться: **Он приехал в Москву, чтобы учиться. Он приехал в Москву учиться.**

Выражение условия

Выражение условия в простом предложении

В простом предложении условные отношения выражаются при помощи существительных в различных падежах.

при + *Предл. п.*

При встрече передайте ему привет от меня.

без + *Род. п.*

Без труда не вытащить и рыбку из пруда.

в случае
при наличии + *Род. п.*
при отсутствии

Выражение условия в сложном предложении

В сложном предложении выделяются три типа условных отношений.

Реальное условие	Потенциальное условие	Ирреальное (нереальное) условие
Если он обещал, то сделает.	Если я пойду в библиотеку, то принесу тебе учебник. Если будешь звонить ей, то передай от меня привет.	Если бы вчера была хорошая погода, мы бы пошли гулять.

Примечание. В условных предложениях, выражающих реальное (выполнимое) и потенциальное условие, глагол употребляется в изъявительном наклонении любого времени (настоящего, прошедшего или будущего).

Примечание. В условных предложениях, выражающих нереальное условие глагол употребляется только в прошедшем времени с частицей **бы**.

Если бы не ... + *Им. п.*

Если бы он **не** помог мне, я не решил бы задачу.
Он мне помог, и я решил задачу.

Примечание. В предложении говорится об условии, благоприятном для выполнения действия. Частица **не** не выражает в этом предложении отрицания.

Если бы он **не** волновался, он решил бы задачу. Он волновался и не решил задачу.	**Примечание.** Действие главного предложения осталось нереализованным, чему помешало волнение. Глагол главного предложения утвердительной формой выражает отсутствие действия.

Выражение уступки

Простое предложение	Сложное предложение
несмотря на + ***Вин. п.***	**несмотря на то, что …**
Несмотря на сильную метель, я пошёл в соседнюю деревню.	**Несмотря на то, что была** сильная метель, я пошёл в соседнюю деревню. **Хотя** была сильная метель, я пошёл в соседнюю деревню.

Упражнения

I. Прочитайте пословицы и афоризмы и обратите внимание на выражения цели и условия.

1. **За словом** в карман не лезет.
2. **Для** милого дружка и серёжка из ушка.
3. Ничего нет трудного, **если** есть желание.
4. **Если** уж делать, так делать хорошо.
5. **Если** хочешь, **чтобы дело** было сделано хорошо, сделай его сам.
6. «Следует называть злым того, кто добр только **для** себя».

Публиций Сир

7. «**Ни на что** не годится тот, кто годится только **для** себя».

Ф. Вольтер

8. «Надо есть, **чтобы** жить, а не жить, **чтобы** есть».

Франклин

9. «Мы живём **не для того, чтобы** есть, а едим **для того, чтобы** жить».

Сократ

10. «Не прекрасна ли цель работать **для того, чтобы** оставить после себя людей более счастливыми, чем были мы».

Ш. Монтескьё

11. «**Чтобы** изменить человека, нужно начинать с его бабушки».

В. Гюго

II. Дополните предложения предлогами, выражающими цель, **за**, **для**, **на**.

1. Заболела дочь, а в семье не было денег **...** лечение.
2. Доктор выписал рецепт, и отец пошёл в аптеку **...** лекарством.
3. Всю жизнь Пирогов работал **...** своей страны, **...** своего народа.
4. Мы купили билеты **...** концерт этого певца.
5. Товарищ заехал **...** мной на машине.
6. Он поступил в аспирантуру **...** продолжения работы над этой проблемой.

III. Соедините предложения, употребив союз **чтобы**.

Образец: Художник Кустодиев приехал в Петербург. | Он хотел поступить в Академию художеств.

Художник Кустодиев приехал в Петербург, **чтобы** поступить в Академию художеств.

1. В оперном театре пели знаменитые певцы.	Послушать их приезжали люди из других стран.
2. Шаляпин пригласил в Нью-Йорк молодого дирижёра.	Он хотел помочь ему.
3. Молодые люди несколько часов стояли в очереди в театральную кассу.	Они хотели купить билеты в оперу или на балет.
4. Друзья-художники приехали в деревню.	Они должны были написать дипломные работы.
5. Кустодиев часто ездил в деревню, в провинциальные города.	Он рисовал русские праздники, обычаи русской деревни.
6. Каждый день художник приезжал в театр.	Он писал декорации к спектаклю.

IV. Измените предложения по образцу.

Образец: Рабочие готовили площадку **для строительства** нового дома.

Рабочие готовили площадку, **чтобы (для того чтобы) строить** новый дом.

1. Он собрал деньги **для поездки** в Англию.

2. Сын сдал экзамены **для поступления** в институт.
3. Учёные создали новый препарат **для лечения** этой болезни.
4. Он уехал в Москву **для участия** в фестивале.
5. Члены жюри собрались **для обсуждения** результатов конкурса.
6. Я выбрал красивый альбом **для подарка** сестре.

V. а) Обратите внимание на употребление глагола после союза **чтобы**.

1. Я взял эту книгу, **чтобы прочитать** её.	Я взял эту книгу, **чтобы** сестра **прочитала** её.
2. Я попросил у друга чудо-таблетку, **чтобы закончить** диссертацию.	Друг предложил мне чудо-таблетку, **чтобы** я **закончил** диссертацию.

б) Употребите соответствующий глагол в правильной форме.

1. Люди из других городов приезжали в театр «Колон», чтобы **...** знаменитых певцов. Товарищ пригласил меня на концерт, чтобы я **...** этого певца.	послушать
2. Мать пригласила врача, чтобы он **...** больной дочери. Доктор пришёл к Мерцаловым, чтобы **...** больной девочке.	помочь
3. Борис поехал в Петербург, чтобы **...** учёбу. Учитель хотел, чтобы Борис **...** учёбу в Петербурге.	продолжить
4. Молодые люди стояли в очереди у театральной кассы, чтобы **...** билет на новый балет. Нина позвонила брату, чтобы он **...** билеты на этот спектакль.	купить
5. Художники приехали в деревню, чтобы **...** дипломную работу. Учитель хотел, чтобы его ученик **...** картину из жизни русской провинции.	написать

VI. Измените предложения по образцу.

Образец: **Несмотря на отсутствие** вакантных мест в опере, дирижёра Маркетти приняли на работу.
Несмотря на то, что вакантных мест в опере не было, дирижёра Маркетти приняли на работу.

1. Несмотря на сильные боли в руке, художник продолжал работать.
2. Несмотря на просьбу Шаляпина, директор оперы не принял на работу дирижёра Маркетти.

3. Несмотря на трудности, он смог закончить работу.
4. Несмотря на плохую погоду, туристы продолжали свой путь.
5. Несмотря на плохое знание русского языка, он смог перевести этот текст.
6. Несмотря на усталость, отец долго ходил по городу в поисках работы.

VII. Измените предложения по образцу.

Образец: Летом я **хочу** поехать на юг.
Летом я **хотел(а) бы** поехать на юг.

1. Он хочет встретиться с тобой.
2. Вы не можете позвонить мне?
3. Таня хочет пригласить тебя на день рождения.
4. Андрей не может дать этот журнал?
5. Мы с удовольствием посмотрим этот спектакль.
6. Она не может перевести эту статью?
7. Николай может встретить сестру?

VIII. Прочитайте пословицы и высказывания учёного и писателя. Обратите внимание на употребление условного наклонения.

1. Если бы молодость знала, если бы старость могла.
2. Если бы желания были лошадьми, нищие могли бы ездить верхом.
3. Если бы моя тётя была мужчиной, она была бы моим дядей.
4. «Помните, что наука требует от человека всей его жизни. И если у вас было бы две жизни, то и их бы не хватило вам».

И. Павлов

5. «Если бы каждый человек на куске земли своей сделал бы всё, что он может, как прекрасна была бы земля наша».

А. Чехов

IX. Употребите соответствующий глагол в правильной форме.

1. Если он поедет в Петербург, он … в Академию художеств. Если бы он поехал в Петербург, он … бы в Академию художеств.	поступить
2. Если ты любишь этого художника, обязательно … на его выставку. Если бы я любил этого художника, я обязательно … бы на его выставку.	пойти

3. Если у него есть талант, он ... хорошим артистом. Если бы у него был талант, он ... бы хорошим артистом.	стать
4. Если она хочет, она ... пойти на эту лекцию. Если бы она хотела, она ... бы пойти на эту лекцию.	мочь
5. Если вы ... чудо-таблетку, вы станете гением на 5 минут. Если бы вы ... чудо-таблетку, вы стали бы гением на 5 минут.	принять

X. Измените предложения по образцу.

Образец: Если он вернётся в Москву во вторник, он может позвонить мне?
Если бы он вернулся в Москву во вторник, он мог бы позвонить мне?

1. Если Геннисон станет победителем конкурса, он получит приз.
2. Если тётя пригласит меня в деревню, я проведу там каникулы.
3. Если вы хотите встретить старый Новый год с нами, вы можете приехать к нам.
4. Если Таня прилетит в Москву завтра, Андрей встретит её в аэропорту.
5. Если он даст мне этот детектив сегодня, я прочитаю его за два дня.
6. Если вы пойдёте на выставку Кустодиева, вам понравятся его картины.

XI. а) Прочитайте шутки. Обратите внимание на употребление частицы **не**.

На конгрессе женщин

Темпераментная женщина, заканчивая свой доклад, восклицает:

— Что бы делал мужчина, если бы **не** было женщины!!!

Молодая девушка в зале тихо говорит:

— Если бы **не** было женщины, мужчина продолжал бы жить в раю.

На вокзале

Муж и жена опоздали на поезд.

М у ж: Если бы ты так долго **не** собиралась, мы бы **не** опоздали на поезд.

Ж е н а: Если бы ты так **не** спешил, мы бы **не** ждали так долго следующий поезд.

б) Прочитайте высказывание писателя Владимира Солоухина об искусстве. Обратите внимание на употребление частицы **не**.

> Искусство, как поиски алмазов. Ищут сто человек, а находит один. Но этот один никогда **не** нашёл бы алмаза, если бы рядом **не** искало сто человек.
>
> *В. Солоухин*

XII. Соедините предложения по образцу, обратив внимание на значение предложения с частицей **не**.

а) Образец:

Если бы художник победил на конкурсе ...	Он получил золотую медаль.
Если бы художник **не** победил на конкурсе ...	Он **не** получил золотую медаль.

Если бы художник победил на конкурсе, он получил бы золотую медаль.

Если бы художник **не** победил на конкурсе, он **не** получил бы золотую медаль.

1. Если бы Шаляпин мог ...	Он помог молодому дирижёру.
Если бы Шаляпин не мог ...	Он не помог молодому дирижёру.
2. Если бы художника пригласили в театр ...	Он писал театральные декорации.
Если бы художника не пригласили в театр ...	Он не писал театральные декорации.

б) Образец:

Если бы я поспешил ...	Я опоздал на вокзал.
Если бы я не поспешил ...	Я не опоздал на вокзал.

Если бы я поспешил, я **не** опоздал бы на вокзал.

Если бы я **не** поспешил, я опоздал бы на вокзал.

1. Если бы сестра заболела ...	Она приехала ко мне на каникулы.

Если бы сестра не заболела …	Она не приехала ко мне на каникулы.
2. Если бы начался сильный дождь …	Мы поехали за город.
Если бы не начался сильный дождь …	Мы не поехали за город.

XIII. Соедините предложения, употребив требуемый по смыслу союз **если бы** или **если бы … не**.

1. Он позвонил бы тебе …	Ты забыл дать номер телефона ему.
2. Я пригласил бы тебя …	У меня были билеты на этот концерт.
3. Мы опоздали бы на занятия …	Подошёл наш автобус.
4. Я встретил бы Нину …	Она прислала мне телеграмму.
5. Он чувствовал бы себя лучше …	Он занимался спортом.
6. Художник закончил бы этот портрет …	Он заболел.

XIV. Закончите фразы.

1. Если бы я хорошо знал русский язык …
2. Если бы он не волновался …
3. Если бы семья и друзья не помогли Кустодиеву …
4. Если бы Кустодиев не любил русскую провинцию …
5. Если бы «чудесный доктор» не помог больной девочке …
6. Если бы отец не потерял работу …
7. Если бы мы встретились с тобой в воскресенье …

Для самостоятельного чтения

Вам знакомы эти слова?

Уточните их значение по словарю и переведите на родной язык.

гастро́ли *мн*
гастроли́ровать *несов*
бас
те́нор
аплодисме́нты *мн*
среди́ (посреди) *чего?*
запреща́ть | **запрети́ть** *что?*
наруша́ть | **нару́шить** *что?*
умо́лкнуть *сов*
зри́тели *мн*
аплоди́ровать *несов*
заставля́ть | **заста́вить** *кого? что (с)делать?*
дья́вол
орке́стр
дирижёр
а́рия
наруше́ние
уво́лить *сов кого?*
беда́
устро́ить *сов кого? куда?*
дирижи́ровать *несов*
превраща́ть | **преврати́ть** *что? во что?*
како́й-то
коло́ния

***

вы́играть пари́ *у кого-либо*
по тради́ции
ничего́ подо́бного (не видеть, не слышать и т.д.)
вака́нтные места́
бо́же мой!
нару́шить тради́цию
наруше́ние тради́ции

Случай с Шаляпиным

Ф.И. Шаляпин

В двадцатые годы в столице Аргентины Буэнос-Айресе в оперном театре «Колон» гастролировали два знаменитых певца: русский бас Фёдор Шаляпин и итальянский тенор Тито Скипа. Чтобы послушать их, люди приезжали не только из других городов Аргентины, но даже из соседних стран.

Однажды вечером группа артистов сидела в театральном буфете. Артисты рассказывали случаи из своей жизни. Шаляпина попросили рассказать, как он выиграл пари у Тито Руффо. Шаляпин рассказал: «Поспорили мы с Руффо, что в Вене меня вызовут 16 раз. Ну и выиграл: 16 раз вызывали». Вдруг девушка, которая сидела напротив Шаляпина, спросила: «А вы можете, синьор Шаляпин, получить аплодисменты в этом театре среди акта?»

Дело в том, что по традиции в театре «Колон» аплодисменты среди акта были запрещены. Ни один великий певец не мог нарушить эту традицию.

В тот вечер Шаляпин пел особенно хорошо. Ничего подобного «Колон» ещё не слышал. Певец умолк, но звуки его голоса, казалось, ещё плыли в зале. И тут зрители нарушили многолетнюю традицию: две с половиной тысячи человек начали аплодировать Шаляпину.

«Когда искусство артиста заставляет зрителей подниматься, он или Бог, или дьявол», — эти слова Бернарда Шоу довольно громко произнёс в оркестре дирижёр Маркетти и поднял руку. Оркестр заиграл, и Шаляпин повторил арию. Это было вторым нарушением традиции.

На утро дирижёра уволили. Но Шаляпин не оставил друга в беде. Через несколько дней он ехал в Нью-Йорк. Он обещал Маркетти, что там устроит его в оперу, где дирижировал тогда Артуро Тосканини, большой друг Фёдора Шаляпина. Однако вакантных мест в опере не было. Тогда Шаляпин рассказал эту историю Тосканини. Дирижёр рассмеялся и повёл Шаляпина к директору.

Артисты объяснили всё директору, но директор закричал: «Я не могу превращать серьёзный театр в балаган! Кто такой Маркетти? Какой-то итальянец! Пусть вернётся в свою Италию!»

«Я тоже из Италии, — ответил Тосканини. — Может быть, и мне вернуться туда? Кстати, наш контракт заканчивается через две недели».

Директор понял, что может потерять сразу двух гениев — Шаляпина и Тосканини.

— Ну что же, — сказал он, — пригласите вашего дирижёра.

В кабинет вошёл Маркетти.

— Позвольте вас познакомить, — сказал Шаляпин, — директор театра — дирижёр Николо Маркетти.

— Очень рад, — недовольно сказал директор. — Боже мой! Наш «Метрополитен» превращается в итальянскую колонию. Господин Шаляпин, а может быть, вы тоже итальянец? Вспомните!

Шаляпин, Тосканини и Маркетти весело засмеялись. Так закончилась эта история.

Задание к тексту

1. Расскажите историю, которая произошла с Шаляпиным.
2. Знаете ли вы что-нибудь об этом русском певце?
3. Прочитайте о случае, который произошёл с дирижёром Тосканини.

Случай с Тосканини

Однажды в Нью-Йорке во время репетиции дирижёр Артуро Тосканини сделал[1] замечание певице, которая выступала с оркестром.

— Да знаете ли вы, с кем вы говорите! — воскликнула певица. — Я великая актриса.

— Не волнуйтесь, — ответил Тосканини, — я никому об этом не скажу.

---

[1] Делать (сделать) замечание кому-либо.

Урок 8

Читаем тексты

Вам знакомы эти слова?

Уточните их значение по словарю и переведите на родной язык.

слепо́й
повя́зка
уда́чно
уха́живать *несов за кем? за чем?*
зво́нкий
не́жный
уве́ренный
уве́ренно
споко́йно
забо́тливо
удо́бно
наде́жда
прихо́д *кого? куда?*
наде́яться *несов на кого? на что?*
ми́лый
страх
грусть *ж*
исчеза́ть |
исче́знуть |
че́стный

убира́ть | *что?*
убра́ть |
слёзы *мн*
течь *несов где? куда?*
причёсывать | *кого? что?*
причеса́ть |
боль *ж*
пала́та
по-ста́рому
как бу́дто
звук
огро́мный
чу́до
отража́ться | *где?*
отрази́ться |
показа́ться *сов кому? кем? какой? каким?*
стро́йный
фигу́ра
улы́бка

сон, во сне
тво́рчество
произведе́ние

***

всё, что возмо́жно

нет пра́ва *у кого-либо*
будь что бу́дет
как никогда́
в све́те любви́

Голос и глаз

Слепой тихо лежал с повязкой на глазах. Ему нельзя было двигаться после операции. Рабид, так звали слепого, волновался, думая, что скоро снова сможет видеть. Профессор сказал ему, что операция прошла удачно. Каждый день, уходя из клиники, профессор говорил Рабиду:

— Не волнуйтесь, я сделал для вас всё, что возможно.

Почти месяц Рабид ждал операцию, и всё это время за ним ухаживала Дези, девушка, работавшая в клинике.

В первый день, когда Рабида привезли в клинику, он услышал молодой женский голос, звонкий и нежный. Этот чудесный голос уверенно и спокойно говорил кому-то, куда положить нового пациента, заботливо спрашивал Рабида, удобно ли ему. И Рабид сразу поверил этому голосу. Этот тёплый голос дарил ему надежду.

Девушку, чей голос делал Рабида счастливым, звали Дези. Три недели Рабида готовили к операции, и каждый день начинался для него с прихода Дези. Добрая и весёлая, она помогала ему ждать и надеяться. Сделав всё, что нужно для больного, она садилась около его кровати, и они подолгу разговаривали. Рабид рассказывал ей о своей жизни, Дези говорила о том, что происходит сейчас. Жизнь в рассказах Дези была такой же доброй и чистой, как она сама.

Рабид давно понял, что любит эту девушку, но не мог сказать ей о своей любви. Он считал, что у слепого нет права говорить молодой девушке о любви. Для неё, для Дези, он хотел снова стать здоровым, снова видеть. В своих мечтах он видел её молодую, прекрасную, как тёплое летнее утро. Он слушал её милый голос, как лучшую музыку.

И сейчас, после операции, он больше всего боялся, что никогда не увидит Дези. Конечно, он верил профессору, но в душе его жил страх.

Рабид не знал, что девушка, которую он так хотел поскорее увидеть, ждала этого момента со страхом и грустью. Она была некрасива.

Дези знала, что Рабид любит её, и боялась, что чувство его исчезнет, когда он её увидит. Их дружба, их долгие разговоры стали нужны ей, она поняла, что тоже любит его. И вот теперь она смотрела на себя в зеркало и со страхом думала, что будет.

Но её честное любящее сердце говорило ей: «Пусть кончится этот хороший месяц, Рабид должен видеть, и будь что будет!»

И вот наступил этот день. Сегодня наконец снимут повязку. Рабид волновался, как никогда: сегодня он может увидеть Дези.

Врачи сняли повязку, и Рабид услышал голос профессора:

— Откройте глаза!

Рабид открыл глаза и увидел какую-то занавеску, которая мешала ему.

— Уберите занавеску, — сказал он, — она мешает.

И тут он понял, что снова видит. От волнения ему трудно было говорить, слёзы текли по его лицу. Когда первые минуты волнения прошли, Рабид внимательно осмотрел комнату. Ему хотелось поскорее увидеть Дези. В комнате были врачи, профессор, но Дези не было.

А Дези, узнав результат операции, вернулась в свою маленькую чистую комнату. Она знала, что эта встреча будет последней. Надев красивое летнее платье, она причесала свои прекрасные тёмные волосы, открыв розовое от волнения лицо. С улыбкой на лице и болью в душе она вышла из комнаты.

Около двери в палату Рабида она остановилась, сейчас она почти хотела, чтобы всё осталось по-старому. Наконец она открыла дверь.

Рабид смотрел на неё.

— Кто вы? — улыбаясь, спросил он.

— Правда, я как будто новый человек для вас? — сказала она.

Звук её голоса сразу вернул Рабиду всё их короткое прошлое. В его чёрных глазах Дези увидела огромную радость, и боль ушла из её сердца. Нет, чуда не произошло, но вся её любовь, её страх и волнение отразились в такой улыбке, что она показалась Рабиду прекрасной. Её стройная фигура в лёгком платье, розовое от волнения лицо, нежная улыбка, её голос — всё это было для Рабида чудесной музыкой. Она была хороша в свете любви.

— Теперь, только теперь, — сказал Рабид, — я понял, почему у вас такой голос. Я любил его слушать даже во сне. Простите меня, но сегодня мне можно разрешить говорить всё.

По А. Грину

Задание к тексту

1. Расскажите историю любви Рабида и Дези.
2. Почему Дези боялась встречи с Рабидом после операции?
3. Как закончилась эта история?
4. Как вы думаете, какую роль играет любовь в жизни человека?
5. Можете ли вы вспомнить поэтов и художников, в жизни и творчестве которых большую роль сыграла любовь.
6. Назовите ваше любимое произведение о любви.
7. Прочитайте высказывания о любви. С каким из этих высказываний вы согласны?

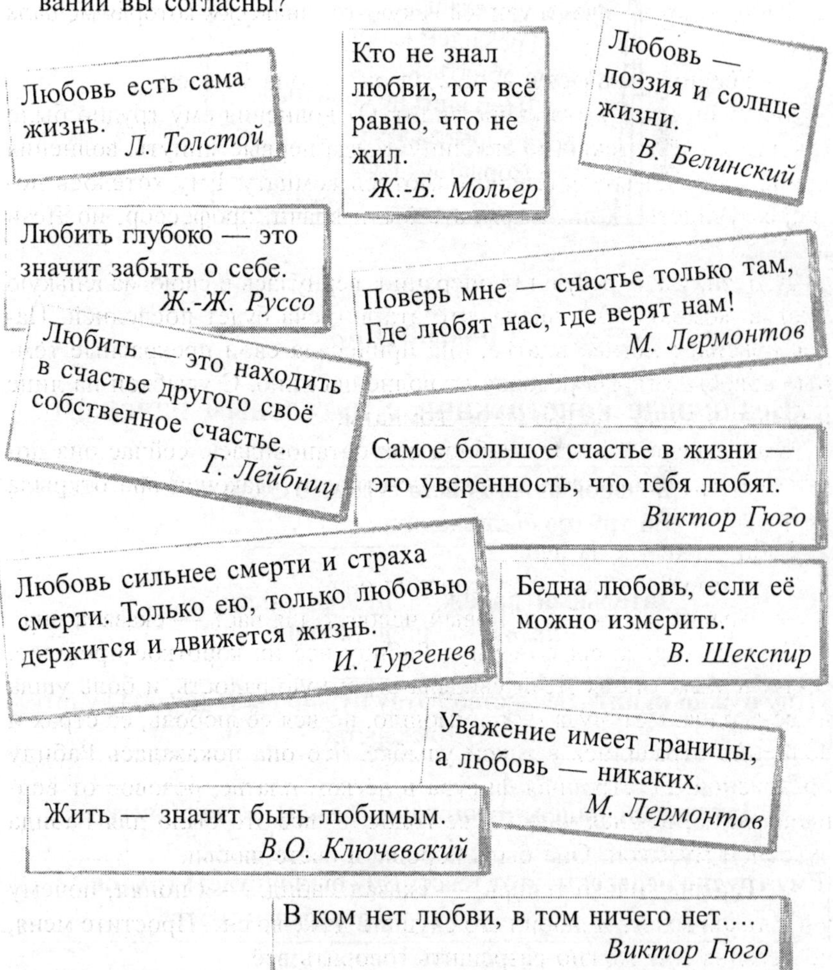

8. Какие пословицы и афоризмы о любви вы знаете. Переведите их на русский язык.
9. Назовите вашу любимую пословицу или афоризм о любви.
10. Прочитайте отрывок из стихотворения Е. Евтушенко «Любимая, спи ...».

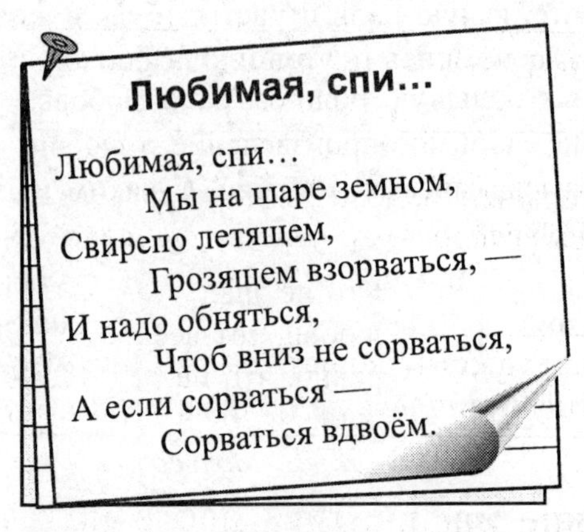

Грамматика

Безличные конструкции с дательным падежом

Больной **нужно было** лежать в постели.
Ей **трудно было** ходить.

Дательный падеж + *нужно (можно), нельзя* + инфинитив

Отцу **нужно купить** лекарство	Отцу **нужно было (будет)** купить лекарство.

Дательный падеж + *трудно (легко)* + инфинитив

Ему **трудно перевести** этот текст.	Ему **было (будет) трудно перевести** этот текст.

Дательный падеж + *весело, интересно (холодно, тепло, жарко)*

На этом вечере всем **весело**.	На этом вечере всем **было (будет)** весело.
Мне **холодно**, закрой окно.	Мне **было (будет) холодно**, закрой окно.

Дательный падеж + безличные глаголы: *пришлось (удалось, хотелось, осталось, казалось* и т.д.) + инфинитив

Нам **удалось попасть** на этот спектакль.
Отцу **пришлось** долго **искать** работу.

Употребление инфинитива после модальных слов при отрицании и без него

Надо подождать его. **Надо открыть** окно.	**Не надо ждать** его, он не придёт. **Не надо открывать** окно, в комнате холодно.

Употребление слова *нельзя* в разных значениях

Ему **нельзя** так много курить	Дверь открыть **нельзя**: замок сломался.
Нельзя в значении *не следует*	**Нельзя** в значении *невозможно*.

Вид глагола в императиве

Заходите к нам почаще. **Пиши** мне, не ленись	**Зайдите** к нам на минуту. **Напиши** немного о себе.

Упражнения

I. Употребите соответствующее местоимение в правильной форме.

1. Больной тихо лежал, ... нельзя было двигаться.
2. Профессор сказал больному, что ... нужно сделать операцию.
3. Рабид сказал: «Простите меня, но сегодня ... можно говорить всё».
4. Дези стояла около двери в палату, ... трудно было открыть дверь и войти.
5. Она знала, что Рабид ждёт её, но ... было страшно встретиться с ним.
6. Мы прочитали рассказ «Чудесный доктор», ... было интересно узнать о русском враче Пирогове.
7. Я долго работал над этой проблемой, но ... трудно было найти правильное решение.
8. Студенты отмечали студенческий праздник Татьянин день, ... было очень весело.
9. Он не может сейчас приехать, ... нужно закончить работу.

II. Измените предложения по образцу.

Образец: Художник **должен был** закончить этот портрет.
Художнику **нужно было** закончить этот портрет.

1. Шаляпин должен был поехать в Нью-Йорк.
2. Она должна была исполнить этот романс.
3. Студенты должны сдать все экзамены до каникул.
4. В воскресенье мы должны встретиться.
5. Завтра сестра должна позвонить родителям.
6. Я должен купить билет на самолёт.
7. Они должны вернуть книги в библиотеку.

III. Дополните предложения подходящими по смыслу местоимениями или существительными в правильной форме.

Образец: **Мне** посчастливилось попасть на эту выставку.

1. ... удалось достать билеты на этот спектакль.
2. ... очень хотелось побывать в старых русских городах.
3. ... пришлось много работать, чтобы закончить диссертацию.
4. Раньше ... не приходилось встречаться.
5. ... осталось сдать последний экзамен.

6. … показалось, что что-то мешает ему видеть.
7. … почти хотелось, чтобы всё оставалось по-старому.
8. … кажется, что я вас где-то видел.
9. Каждый вечер … приходится сидеть с больной сестрой.

IV. Дополните предложения соответствующими местоимениями в правильной форме.

1. Мы сидели далеко, и … было плохо слышно, что говорит лектор.
2. В кинотеатре передо мной сидел высокий мужчина, и … было плохо видно, что происходит на экране.
3. Он посмотрел на вошедшую в комнату женщину, её лицо было … знакомо.
4. Мы попросили перевести слова, которое были … непонятны.
5. Все знают эту историю, она давно … известна.
6. Я пошёл на эту лекцию, так как тема лекции была … интересна.
7. Он достал эту книгу, так как она была … очень нужна.

V. Дополните предложения глаголами нужного вида.

Образец: Надо **включить** свет.
Не надо **включать**, ещё совсем светло.

1. Надо … Тане.	звонить
Не надо … , её нет дома.	позвонить
2. Надо … этот учебник.	покупать
Не надо … его, он есть в библиотеке.	купить
3. Надо … сестре сумку.	дарить
Не надо … ей сумку, лучше купим красивый шарф.	подарить
4. Надо … отцу телеграмму.	посылать
Не надо … , я уже послал.	послать
5. Надо … , мы можем опоздать на лекцию.	спешить
Не надо … , у нас ещё есть время.	поспешить
6. Надо … такси.	брать
Не надо … такси, вот идёт наш автобус.	взять
7. Надо … окно.	открывать
Не надо … окно, в комнате холодно.	открыть

VI. Употребите глагол нужного вида в правильной форме.

1. Он хотел снова стать здоровым, снова … .	видеть
Он не знал, что девушка, которую он так хотел поскорее … , ждала этого момента со страхом.	увидеть

2. Добрая и весёлая, Дези помогала ему … и надеяться. Профессор сказал, что нужно … ещё немного и Рабид снова увидит свет.	ждать подождать
3. Дези не уставала … Рабида, удобно ли ему, хорошо ли ему. Рабид … профессора: «Сегодня уже снимут повязку?»	спрашивать спросить
4. Профессор … , что операция прошла удачно. Каждый день Дези … ему, что всё будет хорошо.	говорить сказать
5. Дези … на себя в зеркало и со страхом думала, что теперь будет. Она последний раз … в зеркало и вышла из комнаты.	смотреть посмотреть
6. Рабид … слушать голос Дези. Рабид хотел, чтобы девушка … его.	любить полюбить

VII. Дополните предложения глаголами, употребив их в императиве совершенного или несовершенного вида с отрицанием **не** или без него.

Образец: **Поставь** цветы на окно.
Не ставь их туда, пусть стоят на столе.

1. … мне эту фотографию. … , она неудачная.	показывать показать
2. … этот памятник. … его, у нас уже есть несколько таких фотографий.	фотографировать сфотографировать
3. … его на наш концерт. … его, ему концерт не понравится.	приглашать пригласить
4. … что вчера случилось? … , она будет смеяться.	рассказывать рассказать
5. … мне почаще. … мне хоть пару слов о себе.	писать написать
6. … костюм в шкаф. … , я сегодня его надену.	вешать повесить
7. … ему посмотреть этот фильм. Лучше … , фильм довольно глупый.	советовать посоветовать

VIII. Измените предложения по образцу.

Образец: **Наши** студенты были на экскурсии.
Им понравилась экскурсия.
Нашим студентам понравилась экскурсия.

1. **Мария** посмотрела новый спектакль. **Ей** понравился этот спектакль.
2. **Иностранные гости** пришли на наш концерт. **Им** понравился наш концерт.
3. **Саша и Андрей** были на выставке Кустодиева. **Им** очень понравилась выставка.
4. Я пригласил **друзей** встретить Новый год за городом. Эта идея **им** понравилась.
5. В парке **Мерцалов** встретил незнакомца. Доброе лицо незнакомца **ему** понравилось.
6. **Мой друг** часто ходит на балет. **Ему** нравится балет.
7. Когда я смотрю по телевизору футбол, **сестра** уходит в другую комнату. **Ей** не нравится футбол.

IX. Дополните предложения, употребив глагол нужного вида в правильной форме.

1. Я давно живу в Петербурге, но до сих пор не могу … к его климату.	привыкать привыкнуть
2. Обычно я … в 8 часов, но вчера я … в 7, так как утром должен был пойти в поликлинику.	вставать встать
3. Обычно брат … в 11 часов, но вчера он … очень поздно, так как у него было много работы.	ложиться лечь
4. — Ты не знаешь, когда … этот магазин? — В 8 часов, думаю он уже … .	закрываться закрыться
5. — Когда Андрей … последний экзамен? — Он … его вчера.	сдавать сдать
6. — Когда … твоя сестра? — Она уже … .	приезжать приехать
7. Жена, дети, друзья всегда … больному художнику.	помогать помочь
8. Последняя картина, которую … художник, называлась «Русская Венера».	заканчивать закончить

X. Дополните предложения, употребив глаголы **казаться — показаться** в нужной форме.

1. Мне ... , что кто-то постучал в дверь, и я спросил: «Кто там?»
2. Тебе не ... , что стало холодно? Давай вернёмся домой.
3. Иногда ему ... , что он уже где-то видел этого человека.
4. Я встретил друга, и мне ... , что его что-то волнует, но он не хочет говорить об этом.
5. Мелодия одной песни ... нам знакомой, и мы спросили девушек, как она называется.
6. Она открыла дверь в комнату, и ей ... , что в комнате кто-то есть.
7. Когда я приезжаю в родную деревню, мне начинает ... , что я уехал отсюда совсем недавно.

XI. Измените предложения по образцу.

Образец:	
Ты пришёл вовремя, и мы не опоздали на спектакль.	Если бы ты не пришёл вовремя, мы опоздали бы на спектакль.
Ты пришёл поздно, и мы опоздали на спектакль.	Если бы ты не пришёл поздно, мы не опоздали бы на спектакль.

1. Он волновался и не сдал экзамен.
   Он не волновался и сдал экзамен.
2. Он не получил телеграмму и не встретил сестру.
   Он получил телеграмму и встретил сестру.
3. Она потеряла мой телефон и не смогла позвонить мне.
   Она знала мой телефон и позвонила мне.
4. Нам очень понравилась эта выставка, и мы пошли на неё второй раз.
   Нам не понравилась эта выставка, и мы не пошли на неё ещё раз.
5. К нему приехала сестра, и он не смог прийти к нам.
   Вчера он был свободен и смог прийти к нам.

XII. Подберите антонимы к данным выражениям.

Образец: нежный голос — грубый голос
тёмные волосы — светлые волосы

1. здоровый человек
2. молодой человек
3. новый друг
4. честный человек
5. доброе сердце
6. счастливый случай
7. удачное решение
8. хорошие новости

9. сложная операция
10. маленькая палата
11. чистая комната
12. верхний этаж
13. летнее утро
14. тёплый вечер
15. знакомая песня
16. тихий голос
17. грустная улыбка
18. известный хирург

Для самостоятельного чтения

Вам знакомы эти слова?
Уточните их значение по словарю и переведите на родной язык.

тра́ктир
лохма́тый
неуклю́жий
хрома́ть
хромоно́жка
завсегдата́й
уро́д
уро́дина
обслу́живать *несов кого? что?*
судьба́
жесто́кий
награди́ть *сов кого? чем?*
доброта́
терпе́ние
не́жный
посети́тель *м*
нево́льно
исто́чник *чего?*
волше́бный
слепо́й

су́дарь *м*
вздро́гнуть *сов от чего?*
неожи́данность *ж*
хри́плый
проку́ренный
мелоди́чный
возмути́ться *сов*
рассерди́ть *сов кого?*
зре́ние
окамене́ть *сов*
мёртв
пожени́ться *сов*

***

а́нгельский го́лос
«Что вам уго́дно?»
созре́л план
глазно́й нерв
ка́рий глаз
стекля́нный глаз

Любовь

В небольшом деревенском трактире служили две девушки: одна хорошенькая, миловидная — Аня, другая удивительно некрасивая — Маргарита. Казалось, природа собрала всё, что можно, чтобы сделать девушку некрасивой: жёсткие, вечно лохматые волосы, глаза разного цвета:

один голубой, другой карий, неуклюжая фигура. Вдобавок ко всему Маргарита хромала. В детстве она сломала ногу, врача в деревне не было, так и осталась Маргарита хромоножкой.

Завсегдатаи трактира обычно не называли её по имени, а звали «уродина». Как правило, все старались сесть за столы, которые обслуживала Аня, и только, если в трактире уже не было места, садились за стол Маргариты. Но судьба не бывает так жестока. Бог наградил Маргариту добротой, терпением и удивительно нежным, ангельским голосом. И когда она говорила: «Что вам угодно?» — посетитель невольно начинал искать источник этого волшебного голоса.

Однажды в трактир зашёл слепой музыкант, он недавно приехал в эту деревню. Музыкант сел за свободный столик, конечно, это был столик Маргариты. Бедная хромоножка подошла к нему, и он услышал нежный голос: «Что вам угодно, сударь?» Музыкант вздрогнул от неожиданности, услышав в этом шумном трактире, где все говорили хриплыми прокуренными голосами, такой мелодичный голос. Никто не слышал, о чём они говорили. Но через некоторое время все заметили, что музыкант специально садится за столик Маргариты и что они подолгу о чём-то разговаривают.

Завсегдатаи возмутились. Как! Эта уродина пользуется тем, что молодой красивый человек не может видеть её. Они попытались сказать музыканту, что Маргарита уродина, но эти слова только рассердили молодого человека.

Тогда в голове самого глупого и злого завсегдатая трактира созрел план. Однажды, когда Маргарита и музыкант разговаривали, он сел к ним за столик и начал разговор. Он сказал, что в Германии есть врач, который может вернуть ему зрение. Для этого нужно одно, чтобы кто-нибудь отдал свой глаз. Операции профессора проходят успешно.

— Почему бы тебе не отдать один свой глаз, например карий, и у тебя будет два одинаковых голубых, один твой, другой стеклянный.

Услышав это, Маргарита окаменела, но она молчала не больше минуты.

— Я готова отдать свой глаз, — сказала она, понимая, что их едва начавшаяся любовь кончится, когда музыкант увидит её. Музыкант, положив на её руку свою, сказал: — Спасибо, дорогая, но мне нельзя помочь. Мой глазной нерв мёртв. И знаешь, нам давно пора уйти отсюда.

Взявшись за руки, они вышли из трактира. Через две недели они поженились.

Задание к тексту

1. Расскажите историю, которая произошла в одном деревенском трактире.
2. Как вы думаете, почему музыкант, ни разу не видев Маргариту, полюбил её?
3. Прочитайте отрывок из стихотворения Н. Заболоцкого «Некрасивая девочка». Помогает ли этот отрывок понять смысл рассказа?

Среди других играющих детей
Она напоминает лягушонка.
Заправлена в трусы худая рубашонка,
Колечки рыжеватые кудрей
Рассыпаны, рот длинен, зубки кривы,
Черты лица остры и некрасивы <…>
И пусть черты её нехороши
И нечем ей прельстить воображенье, —
Младенческая грация души
Уже скользит в любом её движенье.
А если так, то что есть красота
И почему её обожествляют люди?
Сосуд она, в котором пустота,
Или огонь, мерцающий в сосуде?

Урок 9

Александр Остужев

Читаем тексты

Вам знакомы эти слова?

Уточните их значение по словарю и переведите на родной язык.

судьба́
тру́женик
труд
по́двиг
скро́мный
железнодоро́жник
сце́на
ова́ции *мн*
зри́тель *м*
восто́рг
благода́рность *ж*
исполни́тель *м чего?*
роль *ж*
по́лностью
лиша́ть | *кого? чего-либо?*
лиши́ть | *кого? чего-либо?*
слух
вы́бор

борьба́ *за что?*
огро́мный
ежедне́вный
чёткий
шёпот
подска́зывать | *что? кому?*
подсказа́ть | *что? кому?*
партнёр
со́бственный
барелье́ф
изображе́ние

***

выража́ть восто́рг | *кому-либо*
вы́разить восто́рг | *кому-либо*
артисти́ческий путь
пра́во жить в иску́сстве
одержа́ть побе́ду

Судьба актёра
(воспоминание актёра
С. Менжинского)

А. Остужев в роли Отелло

Я расскажу об Александре Остужеве, великом актёре и великом труженике.

Жизнь и труд Остужева были подвигом. И не потому, что скромный железнодорожник из Воронежа стал актёром, лучшим Отелло на русской сцене.

Каждый раз, когда в Малом театре после спектакля «Отелло» в зале долго продолжались овации и зрители выражали свой восторг и благодарность любимому актёру, в эти прекрасные для каждого актёра минуты был только один человек, который не слышал ни одного звука, ни одного слова благодарности. Это был сам Остужев — исполнитель роли Отелло.

Тяжёлая болезнь почти в самом начале его артистического пути навсегда и полностью лишила его слуха. «Я как актёр, — писал в своей автобиографии Остужев, — стал полным инвалидом. Выхожу на сцену и не слышу ни одного звука… Передо мной стоял выбор — или уйти со сцены, или побороть (победить) своё несчастье».

И вот началась борьба Остужева за право жить в искусстве. И Остужев смог побороть свою болезнь, стать великим Остужевым.

Он научился понимать партнёра. А текст! Его надо было знать наизусть — и не только своей роли, но и всей пьесы. Каждый спектакль требовал от Остужева огромного труда, ежедневной борьбы. И каждый раз актёр одерживал победу на большом и трудном пути к сердцу зрителя.

Я счастлив не только потому, что видел Остужева на сцене, но ещё и потому, что играл с ним вместе.

Помню в одном спектакле, где я играл с Остужевым, я забыл одну очень важную фразу. Остановка… пауза… Я молчу. И вдруг, совершенно неожиданно для себя слышу чёткий шёпот Остужева. Он подсказал мне мою фразу. И это актёр, который не слышал не только партнёра, но и звука своего собственного голоса.

…Одна московская улица носит имя Александра Остужева. На стене дома, где он жил долгие годы, барельеф с изображением артиста. Когда я прохожу мимо этого дома, я всегда с любовью и благодарностью вспоминаю Остужева — прекрасного человека, гражданина, артиста.

Задание к тексту

1. Расскажите историю русского артиста Александра Остужева.
2. Любите ли вы театр?
3. Смотрели ли вы какие-нибудь спектакли по произведениям русских авторов?
4. Какие актёры театра или кино вам нравятся? Кто ваш любимый актёр?
5. Прочитайте высказывания о театре.

> **Весь мир — театр, а люди в нём актёры.**
>
> *Шекспир*

> **Для хороших актёров нет плохих ролей.**
>
> *Фр. Шиллер*

6. Прочитайте несколько театральных историй и шуток.

Пожаров — Остужев

Настоящая фамилия актёра Остужева была Пожаров. Остужев — театральный псевдоним. Как появился этот псевдоним?

Рассказывают, что однажды, когда молодой актёр Пожаров играл в одном спектакле, поклонники его таланта кричали: «Браво, Пожаров! Пожаров! Пожаров!»

Кто-то из зрителей решил, что кричат: «Пожар!»

В зале началась паника, зрители побежали к выходу.

После этого случая дирекция театра предложила молодому актёру сменить фамилию. Так вместо Пожарова появился Остужев — лучший Отелло на русской сцене.

Какие роли вы любите играть?

Одного известного русского актёра однажды спросили:

— Какие роли вы любите играть: большие или маленькие?

Актёр ответил:

— Это зависит от пьесы. Если пьеса хорошая, то большие, если пьеса плохая — маленькие.

Рекомендация

Молодой и не очень талантливый актёр попросил знаменитого драматурга Бернарда Шоу дать ему рекомендацию в театр.

Бернард Шоу написал: «Рекомендую вам молодого актёра. Он хорошо играет на флейте, в карты и в футбол. Лучше всего он играет в футбол».

Шекспир

На родине Шекспира двое мужчин встретились за столиком в небольшом кафе. Начали разговор, познакомились:

— Как ваша фамилия?

— Шекспир.

— О, это очень известная фамилия.

— Конечно, я 20 лет продаю молоко в этом районе.

Грамматика

Глаголы движения без приставок

Непереходные глаголы

Глаголы однонаправленного движения (группа **идти**)	Глаголы разнонаправленного движения (группа **ходить**)
идти	ходить
ехать	ездить
бежать	бегать
плыть	плавать
лететь	летать

Переходные глаголы

нести	носить
вести	водить
везти	возить

ИДТИ

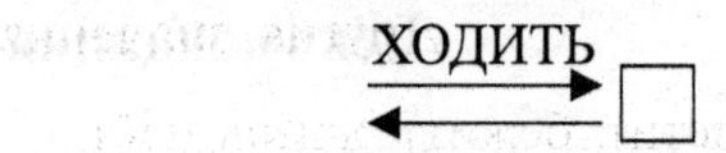

Движение в определённом направлении.
*Он **идёт** в театр.*
*Когда он **шёл** домой, он встретил друга.*

1. Движение в двух и более направлениях.
   *Где она была? Куда она ходила? Она **ходила** в магазин.*
2. Повторяющееся движение.
   *Каждый **четверг** он **ходит** в бассейн.*
3. Движение без определённого направления.
   *В волнении она **ходила** по комнате.*
4. Способность к движению.
   *Её дочь уже **ходит**. Он не умеет **плавать**.*

Глаголы движения при отрицании

Идите к метро по этой улице.	**Не ходите** туда, там ремонт дороги.
Летите на юг этим рейсом.	**Не летайте** этим чартером, он всегда опаздывает.
Плыви быстрее к берегу.	**Не плавайте** сегодня, вода очень холодная.
Мы **хотим пойти** на этот спектакль.	**Не ходите**, спектакль неудачный.

Глаголы движения с предлогом *по*

Жить на новой улице.	**Идите по** улице.
Я встретил его в парке.	Мы долго **ходили по** парку.
Он жил в Сибири.	Он много **ездил по** Сибири.

Некоторые другие случаи употребления глаголов движения

О движении транспорта

идёт автобус (троллейбус, трамвай, машина),
идёт поезд (электричка),
идёт пароход.
водить (вести) автобус (троллейбус и т.д.). *Она хорошо **водит** машину.*

Другие значения

время идёт (летит, бежит), жизнь идёт
урок (лекция) идёт, занятия идут
дождь (снег) идёт

*Ему **идёт** этот костюм. Ей **идёт** синий цвет.*
*Он часто **носит** тёмные костюмы.*
*Какой фильм (спектакль) **идёт** сегодня?*
*Этот балет **шёл** на сцене Большого театра.*

Двойные союзы

и ... и ...
ни ... ни ...
или ... или ...
не только ... , но и ...

*Он одновременно **и** учился, **и** работал.*

***Ни** тётя, **ни** жители деревни ничего не знали о маленькой церкви.*

*Перед ним стоял выбор — **или** уйти со сцены **или** победить своё несчастье.*

*Профессор Пирогов **не только** читал лекции в университете, **но и** занимался врачебной практикой.*

Упражнения

I. Прочитайте шутки. Обратите внимание на употребление глаголов движения.

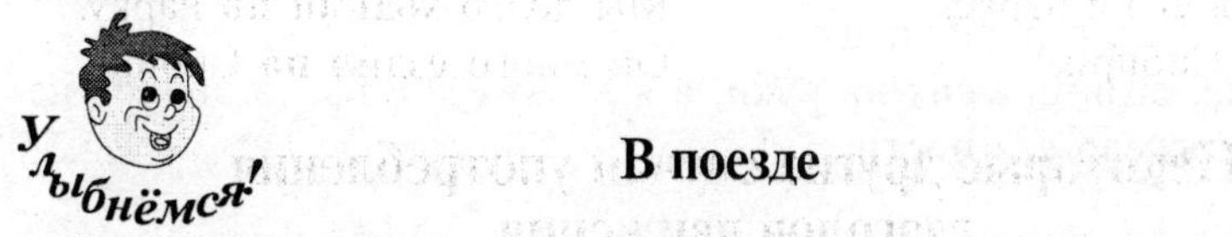

В поезде

В поезде в одном вагоне сидят две старушки. Одна спрашивает другую:

— Простите, куда вы **едете**?

— Я **еду** в Петербург к детям. А вы?

— А я в Москву, и тоже к детям.

— Подумать только, какая теперь техника: мы с вами можем сидеть в одном поезде и **ехать** в разные стороны!

На стадионе

Разговаривают два мальчика, которые смотрят соревнования по бегу.

— Почему они **бегут** так быстро?

— Потому что тот, кто прибежит первым, получит приз!

— Но зачем **бегут** все остальные?

Вопрос и ответ

— Почему рыбы **плавают**?

— Потому что они не умеют **летать**.

В самолёте

Пассажир, который первый раз **летит** в самолёте, спрашивает стюардессу:

— Скажите, пожалуйста, а парашюты нам дадут?

— Конечно нет.

— А на кораблях в море спасательные жилеты всем дают.

— Но мы же не в море.

— Странно, ведь количество людей, умеющих **плавать**, значительно больше количества людей, умеющих **летать**.

На улице

Отец и дочь **идут** по улице. Отец **ведёт** дочь и **несёт** тяжёлый портфель. Дочь говорит отцу:

— Папа, возьми меня на руки, а я возьму портфель, и тебе не будет так тяжело его **нести**.

II. Прочитайте пословицы, обратите внимание на употребление глаголов движения.

1. Тише **едешь**, дальше будешь.
2. Если гора не **идёт** к Магомету, то Магомет **идёт** к горе.
3. Беда не **ходит** одна: сама **идёт**, другую **ведёт**.
4. Одна удача **идёт**, другую **ведёт**.

5. Волков бояться — в лес не **ходить**.
6. Все реки в море **бегут**.
7. Крысы **бегут** с тонущего корабля.
8. Время **летит**.
9. Не учи **плавать** щуку **...**

III. Употребите глаголы **ходить** или **идти** в правильной форме.

1. Вчера мы **...** на выставку. Когда мы **...** на выставку, мы встретили Андрея.
2. По воскресеньям она **...** в бассейн. Сегодня она тоже **...** в бассейн.
3. — Куда ты **...** ?
   — В магазин. Я всегда **...** в этот магазин за продуктами.
4. — Где ты был вчера?
   — На интересном спектакле. Сегодня я тоже **...** в театр.
   — Ты часто **...** в театр?
   — Обычно не очень часто, но тут мне купили билеты сразу на два хороших спектакля.
5. — Вы не скажете, как пройти к метро?
   — **...** до того магазина, а там поверните направо.
6. — Ваш сын уже **...** ?
   — Да, он начал **...** , когда ему был год.
7. — Пойдём, погуляем.
   — Я очень устала, мне не хочется никуда **...** .

IV. Употребите глаголы, **ехать** или **ездить** в правильной форме.

1. — Где вы были летом?
   — Обычно мы **...** на юг, но этим летом **...** к бабушке в деревню.
2. — Алексей Бахрушин много **...** по городам России и Европы и везде, где мог, покупал экспонаты для своей коллекции.
3. — Андрей, Наташа приглашает нас на день рождения.
   — К сожалению, не смогу быть. Сегодня **...** в Петербург на неделю.
4. — Сколько времени ты **...** этим поездом в Москву?
   — Шесть часов. Чаще я **...** другим, он идёт всего четыре часа.
   — Ты часто **...** в Москву?
   — Два-три раза в месяц.

5. — Завтра утром мы ... за город на два дня, не хочешь поехать с нами?

— С удовольствием.

6. — Где ты с ним познакомился?

— В поезде, когда я ... на юг. Мы с ним ... в одном купе.

V. Употребите глаголы **плавать** или **плыть** в правильной форме.

1. — Ты любишь ... ?

— Да, очень. Летом я всегда езжу на реку.

2. — Где Алексей?

— Вон он ... к берегу.

— А ты почему не ... ?

— Мне кажется, что вода сегодня холодная.

3. — Что это сюда ... ?

— Где?

— Посмотри направо?

— Думаю, лодка. Пароходы здесь не ходят.

4. — Мама, можно я пойду в воду?

— Нет!

— Почему? Все ребята ... , а мне нельзя.

— День не очень тёплый, а у тебя болит горло. Когда будет тепло, будешь ... , сколько хочешь.

5. — Витя, смотри, к нам ... утка.

— Это не утка, это чайка.

— А чайки тоже умеют ... ?

— Конечно.

6. — Ты на чём ... сюда?

— На моторный лодке.

7. — Сколько детей здесь ... . Давай пройдём немного подальше.

— Конечно. Здесь всегда ... дети, здесь не глубоко.

VI. Употребите глаголы **летать** или **лететь** в правильной форме.

1. Я всегда ... на юг этим рейсом.
2. — Где ты был, давно тебя не видел.

   — ... в Новосибирск, работал там месяц.
3. Брат работает в Иркутске. Два раза в год я ... к нему.
4. Когда мы ... на восток, самолёт сделал вынужденную посадку в Сибири.

5. Отец три года работал в Индии, в прошлом году мы … к нему.
6. — Утром родители … на юг.
   — А ты?
   — Ещё не решил. Я не очень люблю жару. Мне больше нравится наш север: Валдай, Кижи.
7. Сестра никогда не … на самолёте, боится. Она отдыхает только там, куда можно приехать поездом.

VII. Измените предложения по образцу.

а) Образец: В воскресенье я **иду** в бассейн.
Каждое воскресенье я **хожу** в бассейн.

1. Утром дети идут в школу.
2. В субботу она идёт в читальный зал.
3. В четверг они идут на лекцию этого профессора.
4. Вечером мы идём в спортзал на тренировку.

б) Образец: Летом художник **едет** в деревню.
Каждое лето художник **ездит** в деревню.

1. В субботу мы едем за город.
2. В сентябре, как обычно, она едет на море.
3. Зимой он на 10 дней едет в горы кататься на лыжах.
4. В воскресенье она едет к родителям.

VIII. Измените предложения по образцу.

а) Образец: Они **были** в театральном музее.
Они **ходили** в театральный музей.

1. Они были на выставке Кустодиева.
2. Она была в Малом театре на новом спектакле.
3. Мы были в новом храме на Рождественской службе.
4. Я был у старого друга.

б) Образец: Кустодиев **был** в Италии.
Кустодиев **ездил** в Италию.

1. В прошлом году он был в Англии.
2. В летние каникулы она была на родине.
3. Мы были на экскурсии в старинном русском городе.
4. Летом художники были на Волге.

IX. Употребите глаголы **возить — везти**, **водить — вести** и **носить — нести** в правильной форме.

1. Утром она идёт на работу и … сына в детский сад. Каждое утро она … сына в детский сад.	водить вести
2. Этот почтальон … письма в наш дом. Я встретил его, когда он … мне телеграмму.	носить нести
3. Утром брат едет на работу и … меня в институт. Он часто … меня в институт.	возить везти
4. — Вот идёт твоя мама! Смотри, она что-то … .	носить нести
5. Сегодня я … друга в театральный музей, он там ни разу не был.	водить вести
6. В прошлую субботу они … иностранных гостей в Малый театр.	водить вести
7. В воскресенье родители … детей за город.	возить везти

X. Прочитайте шутки, обратите внимание на употребление глаголов движения.

Кто ведёт машину?

Молодой человек **ведёт** машину. Он **везёт** жену и её мать. Жена и её мать всё время кричат ему:

— Быстрее!

— Медленнее!

— Левее!

— Правее!

Молодой человек наконец спрашивает жену:

— Дорогая, я не понимаю, кто **ведёт** машину: ты или твоя мама?

Разговор двух друзей

— Ты понимаешь, осенью я потерял часы?

— Да.

— А вчера, когда я осматривал карманы пальто, которое тогда **носил**, я нашёл … .

— Часы?

— Нет, дырку, в которую они, наверное, выпали.

Слон и бабочка

Однажды на приёме очень полная дама в ярком цветном костюме подошла к драматургу Бернарду Шоу и кокетливо спросила:

— Как вы думаете, мистер Шоу, **мне идёт** этот костюм?

Бернард Шоу ответил:

— Когда Бог создал бабочку, он сделал её яркой, многоцветной, но когда он создал слона, он сделал его серого цвета.

Он вёл себя хорошо

Мальчик первый раз пошёл в школу. Когда он вернулся домой, мама спросила его:

— Ну как в школе: ты **вёл себя** хорошо, не шумел, никому не мешал?

— Конечно, — ответил сын, — что я мог сделать, если я всё время стоял в углу.

XI. Употребите глаголы **идти, лететь, водить** или **вести** в правильной форме.

1. — Ты не знаешь, какой спектакль **...** сегодня в «Современнике»?
2. — Концерт уже закончился? — Нет, ещё **...** .
3. Как быстро **...** время, скоро Новый год, а там и мой любимый Татьянин день.
4. — Вы не скажете, какой автобус **...** до Театральной площади?
5. Лето мы провели неудачно! Всё лето **...** дождь.
6. Сегодня весь день **...** снег, дует сильный ветер. В такую погоду не хочется выходить из дома.
7. — Твоя жена сама **...** машину?
   — Да, она **...** очень хорошо.
8. Прошу тебя, не **...** машину так быстро.
9. Сестре очень **...** её новое платье.
10. Тебе не **...** этот костюм.

XII. Прочитайте идиоматические выражения с глаголами движения. Как вы их понимаете? Есть ли аналогичные выражения в вашем родном языке.

1 Проносить мимо рта.

2 Ходить на голове.

3 Водить кого-либо за нос.

4 Идти в гору.

5 Идти куда глаза глядят.

6 Идти против течения.

7 Ходить вокруг да около.

8 Ехать зайцем.

9 Дальше ехать некуда.

10 Плавать как топор.

11 Плыть по течению.

12 Время летит.

13 Бежать со всех ног.

XIII. Прочитайте пословицы и изречения. Обратите внимание на употребление двойных союзов **и … и, или …или, ни … ни, не только … , но и**.

1. **И** хочется **и** колется.
2. **И** волки сыты, **и** овцы целы.
3. **Ни** рыба **ни** мясо.
4. **Ни** себе **ни** людям.
5. **Ни** то **ни** сё.
6. **Или** грудь в крестах, **или** голова в кустах.
7. «Когда искусство артиста заставляет людей подниматься, он **или** Бог, **или** дьявол». *Бернард Шоу*
8. «Благодарность — **не только** величайшая из добродетелей, **но и** мать всех остальных». *Цицерон*
9. «Человек может причинять зло другому **не только** своими поступками, **но и** своим бездействием». *Милль*

XIV. Дополните предложения, употребив союзы **и … и, или …или, ни … ни, не только … , но и**.

1. Директор оперы понял, что он может потерять сразу двух гениев: … Шаляпина, … Тосканини.
2. Шаляпин был … прекрасном певцом, … очень хорошим драматическим актёром.
3. Кустодиев любил рисовать … жизнь русской деревни, … жизнь маленьких провинциальных городов.
4. Остужеву необходимо было знать … текст своей роли, … знать наизусть текст всей пьесы.
5. Все, кто знал о конкурсе, были уверены, что может победить только один из двух художников: … Геннисон, … Ледан.
6. Ему нужно было решить: … стать певцом, … продолжать дело отца — строить дороги.
7. Русские меценаты строили … театры и музеи, … школы, больницы, приюты.
8. Вчера в институте я не смог встретиться … со своим профессором, … с коллегой по работе.
9. Никто в деревне: … моя тётя, … другие жители деревни ничего не знали о старой церкви в поле.

Вам знакомы эти слова?

Уточните их значение по словарю и переведите на родной язык.

богате́йший
но́ты *мн*
авто́граф
ру́копись *ж*
режиссёр
экспона́т
це́нный
свя́зано *с чем? с кем?*
купе́ц
смерть *ж*
при́быль *ж*
одна́ко
ще́дро
ще́дрый
пре́дки *мн*
це́рковь *ж*
беспла́тный
сирота́
мастерска́я
награжда́ть | *кого? чем?*
награди́ть | *кого? чем?*
зва́ние
как пра́вило
рели́квия

афи́ша
случа́йно
случа́йный
спор *с кем?*
дока́зывать | *кому? что?*
доказа́ть | *кому? что?*
прав
собра́ние (колле́кция)
де́ятель *м*
це́нность *ж чего?*
госуда́рство
торже́ственный
обя́зан
по́льза
зарубе́жный

***

предме́ты театра́льного иску́сства
мно́гое друго́е
кру́пный фабрика́нт
благотвори́тельная де́ятельность
Почётный гражданин
положи́ть нача́ло *чему?*
Акаде́мия нау́к

Театральный музей Бахрушина

А.А. Бахрушин

В 1994 году состоялся большой праздник русской культуры — 100 лет со дня основания в Москве Театрального музея имени А.А. Бахрушина.

Основатель музея Алексей Александрович Бахрушин собрал богатейшую коллекцию предметов театрального искусства: музыкальные инструменты и ноты, автографы и рукописи актёров, режиссёров, писателей, драматур-

Центральный театральный музей имени А.А. Бахрушина

гов. Портреты и картины знаменитых художников, театральные костюмы известных актёров и многое другое.

В 1913 году, когда коллекция была подарена Российскому государству, в ней было уже около 12 тысяч экспонатов.

Коллекция Бахрушина знакомит нас с историей русского, и не только русского театра. Когда директор парижской Гранд-опера приехал в Москву, он был очень удивлён, увидев в музее ценные экспонаты, связанные с историей французского театра.

Создатель музея Алексей Александрович был из семьи знаменитых московских купцов Бахрушиных. Его дед приехал в Москву в 1821 году, а в 1835 году он был уже крупным фабрикантом. Три его сына — Пётр, Александр и Василий — работали вместе с отцом на заводе.

После смерти отца они продолжали его дело. Их фабрики и заводы давали им миллионные прибыли, однако семьи всех трёх братьев всегда жили просто и скромно. Но купцы Бахрушины щедро тратили деньги на помощь бедным, больным, на помощь тем, кто учится. В городе Зарайске, родном городе их предков, они построили церковь, приют, училище. В Москве построили больницу, теперь она называется Остроумовская по имени главного врача этой больницы, который был домашним врачом Бахрушиных. Лечение в больнице было бесплатным.

В 1901 году в Москве открылся приют для детей-сирот, построенный братьями Бахрушиными. В приюте была школа и мастерские, где дети могли получить разные профессии.

В 1915 году Александр Бахрушин передал городу Москве полмиллиона рублей на строительство народного дома.

Трудно рассказывать о всех добрых делах братьев Бахрушиных. За свою благотворительную деятельность они были награждены званием почётного гражданина Москвы. До них это почётное звание получил Павел Михайлович Третьяков за создание художественной галереи, которая носит теперь его имя.

Сын Александра Бахрушина Алексей Александрович продолжил дело отца. С раннего утра до пяти вечера Алексей работал на заводе отца. Своё вечернее время он, как правило, отдавал театру.

Алексей любил драматический театр, увлекался балетом и оперой, сам неплохо пел.

Идея собрать коллекцию театральных реликвий (афиш, фотографий, автографов актёров) родилась случайно в споре с кузеном, который показал Алексею свою театральную коллекцию. Алексею коллекция не понравилась. Он сказал брату, что ценную коллекцию может собрать только человек, который серьёзно интересуется театром, хорошо знает театр. И чтоб доказать, что он прав, Алексей, знавший и любящий театр, смог за месяц собрать интереснейшую коллекцию. Так случайный спор положил начало делу, которое стало главным в жизни Алексея Бахрушина.

Предметы для своей коллекции Алексей Александрович собирал не только в России. Он привозил ценные экспонаты из Парижа, Берлина, Ниццы и других городов.

29 октября 1894 года Алексей Александрович решил показать своё собрание деятелям российской культуры. Этот день стал днём основания музея. Коллекция музея росла и росла. Понимая ценность своей коллекции, Алексей Александрович решил передать её государству. 25 ноября 1913 года коллекция, она называлась тогда Литературно-Театральный музей, была передана Российской академии наук. В этот торжественный для него день Алексей Александрович сказал: «…не обязан ли я, сын великого русского народа, предоставить моё собрание на пользу этого народа».

Сейчас Театральный музей носит имя своего основателя А.А. Бахрушина. Коллекция музея продолжает расти. Музей ведёт серьёзную научную работу, организует интересные выставки. Русские и зарубежные работники театра частые гости музея. Побывать в музее интересно не только деятелям культуры. Двери музея всегда открыты для гостей.

Задание к тексту

1. Расскажите историю создания Театрального музея. Кто и когда основал этот музей?
2. Что вы можете сказать об Алексее Александровиче Бахрушине? Каким он был человеком? Чем занимался?
3. Как вы думаете, помогает ли понять смысл жизни Бахрушина афоризм Эриха Фромма: «Богат не тот, кто много имеет, а тот, кто много даёт».

Урок 10

Читаем тексты

Вам знакомы эти слова?

Уточните их значение по словарю и переведите на родной язык.

худо́й
то́лстый
похо́ж *на кого?*
то́ненькая
ве́чно
похо́жий *на кого?*
раздража́ть *несов кого?*
постоя́нно
зева́ть *несов*
ве́точка
подмета́ть | *что?*
подмести́ |
ве́ник
не́жный
арома́т
расте́ние
цвести́ *несов*
багу́льник
присма́триваться *несов к кому? к чему?*
стреми́тельно
ры́жий
боксёр
та́кса
буди́ть *несов кого?*
исчеза́ть | *откуда?*
исчёзнуть |
зага́дочный
выде́рживать | *что?*
вы́держать |
как то́лько
стара́ться *несов что сделать?*
подъе́зд
проглоти́ть *сов что?*
карма́н
оста́ток *чего?*
ла́па
лиза́ть *несов что? кого?*
двор

косты́ль *м*
пёс
пери́ла *мн*
взви́згнуть *сов*
приста́вить *сов что? к чему? куда?*
тере́ться *несов*
загля́дывать *несов*
пре́данность *ж*
руга́ть *несов кого?*
криво́й
прогу́лка
гла́дить *несов кого? что?*
вздохну́ть *сов*
как бу́дто
умере́ть *сов*
ве́рный
огляну́ться *сов*
ло́дка
корми́ть *несов кого?*
поги́бший
терпе́ние
кро́ме *чего? кого?*
усну́ть *сов*
чужо́й
пора́
вскочи́ть *сов*

***

то́нкий арома́т
обраща́ть внима́ние | *на кого?*
обрати́ть внима́ние | *на что?*
ирла́ндский се́ттер
на са́мом де́ле
име́ть отноше́ние *к чему-либо*
помира́ть с го́лоду
тяну́ть на тро́йки
че́стное сло́во

Багульник

Молодую учительницу Евгению Ивановну коллеги звали Женечка. Маленькая, худая Женечка не была похожа на учительницу. Встретив её на улице, вы подумали бы, что это школьница. Да и на улице она обычно не шла, а почти бежала: тоненькая, быстрая, вечно куда-то спешащая.

Ученики любили свою учительницу, похожую на девочку. Женечка привыкла к их любви и вниманию. И только один ученик удивлял и раздражал Женечку. Это был Костя. Он постоянно зевал на уроках, закрывал глаза и широко открывал рот. Казалось, он сейчас заснёт. Женечка думала, что ему неинтересно на её уроках.

А Костя зевал потому, что всегда хотел спать. Как-то зимой он принёс в класс тоненькие веточки и поставил их в воду. Все смеялись над ним, а кто-то даже хотел подмести ими пол, как веником. Но Костя отобрал веточки и поставил их в воду. И вдруг однажды, придя утром в школу, все увидели, что на веточках появились маленькие светло-синеватые цветы. А за окном ещё продолжалась зима. Женечка и её ученики стояли у окна и с удивлением смотрели на цветы. У цветов был тонкий нежный аромат.

Ребята спрашивали Костю, какое это растение и почему оно цветёт зимой.

— Багульник! — коротко ответил Костя и отошёл от окна.

С этого дня Женечка с интересом стала присматриваться к нему. Она давно обратила внимание, что Костя каждый раз, когда слышал звонок с последнего урока, стремительно выбегал из класса. Куда он так спешил?

Ребята говорили, что видели его на улице с собакой. Но с какой? Одни говорили:

— У него рыжий ирландский сеттер.

Другие возражали:

— Чепуха! У него самый настоящий боксёр.

Третьи смеялись:

— Не можете отличить таксы от боксёра.

На самом деле у него не было ни одной собаки.

А сеттер? А боксёр? А такса? Какое отношение имели к Косте эти собаки, не знали даже его родители. Когда родители возвращались с работы, сын обычно сидел за столом, готовил уроки. Так он сидел допоздна. А на уроках опять зевал, опять почти спал. И только звонок с последнего урока будил его. Он стремительно исчезал из класса, спеша в свою загадочную жизнь.

Однажды Женечка не выдержала. Как только Костя выбежал из класса, Женечка побежала за ним. На улице она старалась бежать так, чтобы он её не заметил.

Вот Костя подбежал к своему дому, исчез в подъезде и через пять минут появился снова. За это время он успел проглотить холодный обед и положить в карманы хлеб и остатки обеда.

В небольшом переулке Костя вбежал в дом, поднялся на второй этаж и позвонил. Дверь открылась, и огненно-рыжий сеттер бросился к Косте. Он положил передние лапы на плечи мальчику и стал лизать его лицо.

— Артюша, Артюша, подожди! — Но Артюша не знал, как ещё показать свою радость. Оба, мальчик и собака, сбежали вниз, не заметив учительницу. Они весело бегали по двору, потом медленно пошли домой.

У двери их встречал худой инвалид с костылём.

— Вот погуляли. До завтра, — сказал Костя.

— Спасибо. До завтра.

Теперь он бежал минут пятнадцать до двухэтажного дома с балконом. На балконе стоял пёс боксёр. Он стоял на задних лапах, а передние положил на перила балкона.

— Атилла! — крикнул Костя, подбегая к балкону.

Увидев мальчика, боксёр тихо взвизгнул от счастья.

Костя с трудом поднял тяжёлую лестницу и приставил её к перилам балкона. Боксёр спустился вниз. Он стал тереться о ноги мальчика, заглядывая ему в лицо.

Костя достал еду в газете. Боксёр был голоден. Он ел быстро, но при этом всё время поднимал глаза на мальчика. И в глазах его было столько чувства, что казалось, он сейчас заговорит.

Собака поела, и Костя с ней погулял по двору. И тут Женечка услышала, как соседка сказала:

— Вот оставили собаку на балконе, а сами уехали. А собака должна помереть с голоду!

Когда Костя уходил, боксёр опять стоял на балконе и провожал Костю глазами, полными любви и преданности.

В соседнем доме на первом этаже болел мальчик. Это у него была чёрная такса.

Женечка стояла у окна и слышала разговор мальчиков.

— Он тебя ждёт, — говорил больной.

— Ты болей, не волнуйся, — отвечал Костя.

— Я болею, не волнуюсь. Может, я отдам тебе велосипед?

— Мне не надо велосипеда.

— А знаешь, мать хочет продать Лаптя, — таксу звали Лапоть. — Ей утром некогда с ним гулять.

— Приду утром, — помолчав, сказал Костя, — только очень рано, до школы.

— А дома тебя ругать не будут?

— Ничего, пока тяну на тройки. Только всё время спать хочу, поздно уроки делаю. Ну мы пошли, ты не волнуйся. Пошли, Лапоть!

Они вышли на улицу. Чёрный как уголь Лапоть на коротких кривых ножках шёл рядом с Костей.

Но вот эта прогулка кончилась. А Костя пошёл дальше. Город кончился, Костя вышел на берег моря. Женечка шла за ним. И тут она увидела огромную собаку, которая стояла у воды и смотрела на море. Казалось, она ждала кого-то. Костя подошёл к собаке и положил перед ней еду. Собака даже не посмотрела на еду.

Костя стал гладить собаку и тихонько говорить:

— Ну поешь, ну поешь немного…

Собака тяжело вздохнула, как человек, и начала медленно есть.

Она ела без всякого интереса, как будто не была голодна. Она ела для того, чтобы не умереть. Ей нужно было жить. Она ждала кого-то с моря.

Когда собака всё съела, Костя сказал:

— Идём. Погуляем.

Собака посмотрела на мальчика и пошла рядом. Мальчик и собака шли не спеша, и Женечка слышала, как Костя говорил собаке:

— Ты хороший, ты верный. Пойдём со мной. Он никогда не вернётся. Он погиб. Честное слово.

Собака молчала. Она продолжала смотреть на море и в который раз не верила Косте. Она ждала.

— Что же мне с тобой делать? — спросил мальчик. — Нельзя жить одной на берегу моря. Когда-нибудь надо уйти.

Тут Костя оглянулся и увидел свою учительницу. Он почему-то не удивился.

— Что же с ней делать? — спросила Женечка.

— Она не пойдёт, я знаю, — ответил он. — Она никогда не поверит, что хозяин погиб. Я сделал ей дом из старой лодки. Кормлю её. Она очень худая.

Несколько минут они шли молча.

Потом Костя сказал:

— Собаки всегда ждут. Даже погибших. Им надо помогать.

Костя и Женечка проводили собаку до того места, где она у самой воды с удивительным терпением ждала хозяина. Собака села и снова не видела ничего, кроме моря, куда ушёл её хозяин.

Обратно учительница и ученик шли быстро, было уже поздно.

На другой день в конце последнего урока Костя заснул. Сначала никто не заметил, что он спит. Потом кто-то засмеялся.

И Женечка увидела, что Костя спит.

— Тихо, — сказала она. — Совсем тихо. Вы знаете, почему он уснул? Я вам расскажу… Он гуляет с чужими собаками. Кормит их. Собаки всегда ждут. Даже погибших… Им надо помогать…

Зазвонил звонок с последнего урока. Он звенел громко, но Костя не слышал звонка. Он спал.

Евгения Ивановна — Женечка — подошла к спящему мальчику и положила руку ему на плечо. Он открыл глаза.

— Звонок с последнего урока, — сказала Женечка, — тебе пора.

Костя вскочил, взял портфель. И в следующую минуту исчез за дверью.

По Ю. Яковлеву

Задание к тексту

1. Расскажите историю мальчика Кости:

а) Почему он засыпал на уроках.

б) С какими собаками и почему он гулял? Каких собак кормил?

2. Согласны ли вы с выражением «Собака — друг человека»?

3. Любите ли вы животных? Есть ли у вас дома животные? Если есть, то какие? Какое ваше любимое животное?

4. Знаете ли вы какие-нибудь истории о дружбе животного и человека? О верности животного своему хозяину. Если знаете, расскажите о них.

5. Есть ли в вашем городе общество защиты животных?

6. Участвуете ли вы в экологическом движении «зелёных» («Green peace»)? Что делают в вашем городе (в вашей стране) для защиты природы?

7. а) Какое значение для жизни человека имеет защита природы?

б) Согласны ли вы с высказыванием русского писателя М. Пришвина: «Охранять природу — значит охранять Родину»?

8. Прочитайте историю, которая однажды произошла в Московском аэропорту.

Случай в аэропорту

Несколько лет назад человек, улетавший из Москвы, оставил на лётном поле собаку. Её не пустили в самолёт, так как хозяин не оформил какие-то бумаги.

Люди пытались увести собаку, но она никому не разрешала подойти к себе. Ей приносили еду. Она ела только ночью, когда оставалась одна.

Несколько московских газет написали о собаке. Прошёл год, ничего не изменилось.

И вдруг её хозяин, прочитавши о ней в газете, прилетел в Москву. Однако собака зарычала, когда он хотел подойти к ней. Она, видимо, не могла простить предательства.

И всё-таки история кончилась хорошо. Собаку сумела приручить преподаватель зоологии из МГУ. Она несколько раз приезжала к собаке, кормила её из рук, гладила. И наконец смогла увезти её к себе.

Грамматика

Глаголы движения с приставками

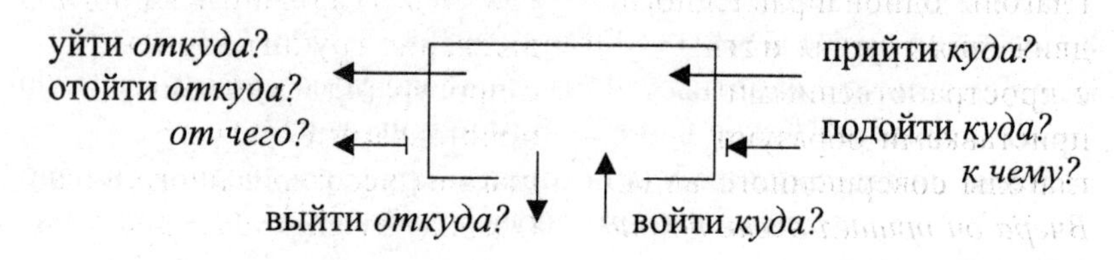

Приставки антонимы

при- ≠ у-
в (о)- ≠ вы-
под (о)- ≠ от(о)-

Предлоги антонимы

в ≠ из
на ≠ с
к ≠ от

перейти *что? через что?* (улицу, через улицу)
пройти *мимо чего?* (мимо дома)
дойти *до чего?* (до магазина)
обойти *что? вокруг чего?* (вокруг дома)

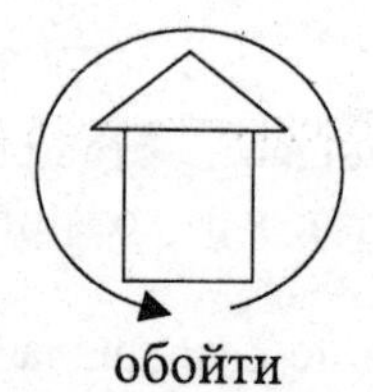

Другие значения глаголов движения с приставками

время прошло (пролетело)	боль (обида) прошла
жизнь прошла	снег (дождь) прошёл
урок (опыт) прошёл удачно	гроза прошла
премьера спектакля прошла удачно	праздники прошли

Употребление глаголов движения с приставками

группа **идти**	группа **ходить**
идти — **при**йти	ходить — **при**ходить
ехать — **при**ехать	ездить — **при**езжать
бежать — **при**бежать	бегать — **при**бегать
лететь — **при**лететь	летать — **при**летать
плыть — **при**плыть	плавать — **при**плывать

Глаголы однонаправленного движения группы **идти** с пространственными приставками образуют глаголы совершенного вида.
Вчера он пришёл очень поздно.

Ко мне приехала сестра из Петербурга (она сейчас у меня).

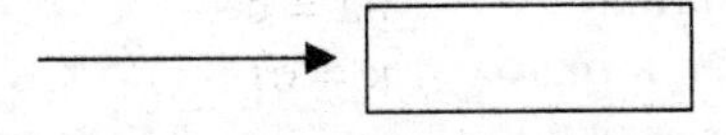

Движение в одном направлении.

Глаголы разнонаправленного движения группы **ходить** с пространственными приставками образуют глаголы несовершенного вида.
Обычно он приходит рано.

Ко мне приезжала сестра из Петербурга (она была у меня и уехала).

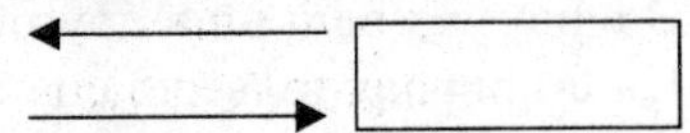

Движение в двух направлениях (туда и обратно).

Упражнения

I. Прочитайте шутки, обратите внимание на употребление глаголов движения.

Улыбнёмся!

Разговор друзей

Два друга встретились в коридоре у кабинета директора. Из кабинета **вышла** и **прошла** мимо них новая секретарша — молодая красивая девушка.

— Ого, вот это красавица, — сказал один.

— Трое детей, — ответил другой.

— У неё? Не может быть!

— У тебя.

Случай на корабле

Один молодой американский драматург **плыл** на корабле по Средиземному морю. Однажды он поднялся на капитанский мостик. К нему **подошёл** моряк.

— Простите сэр, — сказал он, — но никому не разрешается **входить** сюда.

— А знаете ли, с кем вы говорите, — вы говорите с великим современным драматургом!

— Мне очень жаль, — ответил моряк, — но вы должны **уйти** отсюда, мистер Бернард Шоу.

II. Прочитайте пословицы. Обратите внимание на употребление глаголов движения.

1. Жизнь **прожить** — не поле перейти.
2. **Пришёл**, увидел, победил.
3. Всему **приходит** конец.
4. Всё **придёт** к тому, кто ждёт.
5. В одно ухо **вошло**, в другое **вышло**.
6. Гони природу в дверь, она **войдёт** в окно.
7. Гони любовь в дверь, она **влетит** в окно.
8. Слышно, как муха **пролетит**.

III. Употребите глаголы движения **идти, ходить, бежать** в правильной форме там, где нужно, с соответствующей приставкой.

Почти каждый день Костя **...** в школу поздно. Но когда звенел звонок с последнего урока Костя быстро **...** из класса. Никто не знал, куда он **...** каждый день.

Однажды молодая учительница решила узнать, куда так спешит её ученик. Она **...** за ним из школы и быстро **...** по улице.

Костя **...** к своему дому, **...** в подъезд и через несколько минут **...** , в руках он нёс пакет. В небольшом переулке он **...** в дом и вскоре **...** оттуда с красивой рыжей собакой. Они погуляли по улице, потом **...** в дом и поднялись на второй этаж. Дверь им открыл инвалид.

— Вот погуляли. До завтра, — сказал Костя.

— Спасибо, — сказал инвалид.

Выйдя из дома, Костя быстро **...** по улице, учительница с трудом **...** за ним. Наконец Костя **...** во двор и **...** к двухэтажному дому с балконом. На балконе стоял пёс боксёр. Он ждал мальчика. Костя поставил к балкону тяжёлую лестницу, и боксёр быстро спустился вниз. Он был очень голоден. Костя дал ему еду из пакета. Потом они немного погуляли. Когда Костя … , боксёр опять стоял на балконе, смотрел на уходящего Костю глазами, полными любви.

Костя … из города и … дальше.

Последняя собака была на берегу моря. Много дней она ждала хозяина, который … в море и не вернулся. И каждый день Костя … к ней и приносил еду. Но увести собаку он не мог, собака не верила, что хозяин не вернётся. Она ждала его и так и жила на берегу.

Теперь учительница знала, почему Костя всегда спешил … из школы, когда слышал последний звонок. Он помогал животным, оставшимся без хозяина. Собака верит человеку и всегда ждёт его.

IV. Употребите глаголы **идти** или **ехать** в нужной форме с соответствующей приставкой.

Вчера ко мне … сестра из Саратова. Я встретила её на вокзале, и мы … домой. Когда мы … домой, нас уже ждала мама, она приготовила праздничный обед, ведь у нас сегодня гость. После обеда я предложила сестре … в театр. Она давно хотела посмотреть спектакль «Мастер и Маргарита» в Театре на Таганке. Сегодня шёл этот спектакль. Билетов у меня не было, поэтому мы … из дома пораньше, надеясь купить билеты. Когда мы … до Таганки, … из метро и … в театр, мы увидели, что в кассу стоит большая очередь. Я оставила сестру в очереди и … на улицу: вдруг кто-нибудь продаст лишний билет. Мне повезло, я купила два билета, правда, места были разные, но это уже не имело значения. Я … в театр и … к сестре. Когда она увидела у меня билеты, она обрадовалась и сказала, что уже ни на что не надеялась.

Домой мы … поздно и рассказали маме, где мы были.

V. Измените предложения по образцу.

Образец: Сестра **приехала из** Саратова.
Сестра **уехала в** Саратов.

1. Поезд … к станции. 2. Все … из вагона. 3. Я … на вокзал в три часа. 4. Когда зазвенел звонок, мальчик быстро … из класса.

5. Он **...** к двухэтажному дому и вошёл в подъезд. 6. Когда он **...** из подъезда, с ним была собака. 7. Домой он **...** в шесть часов и быстро начал готовить уроки.

VI. Измените предложение по образцу.

Образец: Ко мне **приехал** друг из Петербурга.
Он часто **приезжает** ко мне.

1. Вечером к нам пришёл Андрей, он часто **...** .
2. Я вышел из дома в 8 часов, обычно я **...** .
3. Брат вернулся из путешествия и принёс мне интересные слайды, каждый раз, когда он возвращается в Москву, он **...** .
4. Она ушла с работы в 6 часов, обычно она **...** .
5. Сестра уехала на юг. В июне она всегда **...** .
6. К нам приехала бабушка из деревни и привезла фрукты из своего сада. Когда она **...** из деревни, она всегда **...** нам фрукты.

VII. Измените предложения по образцу, употребив соответствующие глаголы движения.

а) Образец: Вчера у меня был друг из МГУ.
Вчера ко мне приходил друг из МГУ.

б) Образец: Сейчас у меня друг из МГУ, мы вместе готовим доклад.
Сейчас ко мне пришёл друг из МГУ, мы вместе готовим доклад.

1. Сейчас у нас живёт мамина сестра из Пскова.
   Недавно у нас была мамина сестра из Пскова.
2. Вчера у Николая был брат из Петербурга.
   Николай спешит домой, его ждёт брат из Петербурга.
3. Сейчас у меня гость из соседней квартиры, мы смотрим футбольный матч.
   Он иногда бывает у меня, чтобы вместе посмотреть футбол.

VIII. а) Прочитайте диалоги. Обратите внимание на разницу в употреблении глагольных приставок **по-**, **вы-** и **у-**.

1. — Будьте добры, попросите Нину.
   — Она **вышла**, позвоните минут через 15.
   — А Оля?
   — Оля уже **ушла**.

2. — Простите, позовите Мишу.
   — Его нет, он **ушёл**.
   — Вы не скажете куда?
   — Он **пошёл** в библиотеку.

б) Употребите глаголы движения с соответствующей приставкой **по-**, **вы-** или **у-**.

1. — Родители уже **...** в деревню.
   — А ты к ним **...** ?
   — Да, думаю **...** завтра.
2. Когда мы **...** из зала, мы встретили Олега.
3. Во время перерыва я хочу **...** на почту.
4. — Ты не видел Андрея?
   — Он уже **...** домой.
   — Жаль. А ты не хочешь **...** со мной на хоккей?
   — **...** с удовольствием.
5. — Где Таня?
   — Она **...** , может быть, она **...** в буфет.

IX. Прочитайте предложения. Обратите внимание на употребление глаголов с приставкой **за-**.

1. Солнце **зашло** за тучи.
2. Машина **заехала** за угол.
3. По дороге в институт я **зашёл** за другом.
4. Когда я возвращался домой, я **зашёл** в книжный магазин.
5. — Миша, я рад тебя видеть, **заходи**.
   — Извини, я очень спешу и **зашёл** на минутку за кассетой.
6. — **Заходите** к нам почаще.
7. Он в волнении **заходил** по комнате.

X. а) Обратите внимание на употребление глаголов с приставкой **по-**.

1. Поезд шёл медленно, потом **пошёл** быстрее, за окном вагона побежали леса, поля, деревни.
2. В воскресенье мы **поехали** за город. Хотели погулять в лесу. Мы **походили** по лесу, вышли на небольшую полянку, потом **пошли** к реке.
3. Олег немного **походил** по парку, подождал Андрея. Увидев его, Олег **пошёл** ему навстречу.

4. Две маленькие птички **полетали** над нами и сели на ветку берёзы.
5. Я хочу **полететь** на юг этим рейсом.

б) Составьте предложения с глаголами **походить — пойти, поехать — поездить, побежать — побегать**.

XI. Обратите внимание на употребление глаголов движения с приставкой **про-**.

1. Я разговаривала с подругой и не заметила, как **проехала** свою остановку.
2. Мимо нас **проехала** красивая серебристая машина.
3. Автобусы от станции до деревни ходили редко, и мы пошли пешком. Мы **прошли** километров пять, когда увидели первые дома деревни.
4. Было так тихо, что слышно было, как муха **пролетит**.
5. Брат **провёз** меня на машине через весь город и выехал на загородное шоссе.
6. — Простите, вы не выходите на следующей остановке?
   — Нет, **проходите**, пожалуйста.
7. — Алексей, слышишь звонок, открой дверь.
   — Добрый день, дорогие гости, **проходите**, пожалуйста.

XII. а) Обратите внимание на другие случаи употребления глаголов движения с приставкой **про-**.

1. В этом городе **прошла** вся его жизнь.
2. Обсуждение моего доклада **прошло** удачно.
3. **Пройдёт** ещё год, и мы окончим институт.
4. Она приняла лекарство, и головная боль **прошла**.
5. Всё **проходит**: и радости и несчастья.
6. **Прошёл** сильный дождь, трава и листья на деревьях были мокрыми.
7. Утром **прошёл** снег, и всё вокруг было белым и чистым.

б) Составьте предложения, употребив глаголы движения с приставкой **про-** в разных значениях.

Образец: Мы **прошли** мимо книжного магазина.
Он **проехал** на велосипеде 60 километров.
С тех пор, как он уехал из Москвы, **прошло** 2 месяца.
Встреча с молодым поэтом **прошла** очень интересно.

XIII. а) Обратите внимание на употребление глаголов движения с приставкой **пере-**.

1. Родители **переехали** в другой город.
2. Брат **перешёл** на второй курс.
3. Мы **переплыли** на другой берег реки.
4. Они **перевезли** мебель на новую квартиру.
5. Девочка **перешла** через улицу и вошла в магазин.
6. Молодой человек помог женщине **перенести** вещи через улицу и донёс их до остановки автобуса (до стоянки такси).
7. Запомните: **переходить** улицу можно только на зелёный свет светофора. Когда зажигается табличка: «Идите».
8. Машина **переехала** через мост.

б) Составьте предложения с глаголами движения с приставкой **пере-**.

Для самостоятельного чтения

Памятник С. Есенину

Вам знакомы эти слова?
Уточните их значение по словарю и переведите на родной язык.

поэ́зия	**ло́шадь** *ж*
отража́ться / **отрази́ться** *в чём?*	**конь** *м*
	коли́чество
кри́тик	**страда́ть** *несов*
подсчита́ть *сов что?*	**го́ре**
упомина́ть *несов*	**дрессиро́вщик**

защи́та *кого?*
ли́чность *ж*
ра́доваться *несов*
страда́ть *несов*
и́скренне
пугли́вый
пле́чи *мн*

***

ме́ньшие бра́тья
отве́тное чу́вство

Есенин[1] и наши меньшие братья

Дом Есениных

В поэзии Есенина отразилась любовь поэта ко всему живому: к человеку, к природе, к братьям нашим меньшим, как называл животных Есенин.

О животных писали многие писатели: И. Тургенев, А. Чехов, Л. Толстой, но в поэзии больше и лучше других поэтов писал о них Есенин.

Литературные критики подсчитали, что в стихах Есенина 27 раз упоминается лошадь, 61 раз — конь и много раз синонимы этих слов. О корове Есенин говорит 25 раз, о собаке — 15.

Но дело, конечно, не в количестве. Есенин писал о животных так, что читателю ясно было: поэт чувствует и понимает душу животного, разделяет с меньшими братьями их горе и радость. «Каждой стих мой душу зверя лечит», — пишет о себе Есенин.

Когда известный русский дрессировщик Владимир Дуров написал в защиту животных, что пора почувствовать и в животных личность, которая думает, радуется и страдает, Есенин искренне благодарил его.

Надо сказать, что любовь Есенина к животным вызывала у них ответное чувство: его любили лошади и собаки и даже пугливые птицы садились ему на плечи.

---

[1] **Есенин Сергей Александрович** (1895 – 1925) — известный русский поэт, певец русской природы. Автор многочисленных лирических стихотворений, поэм, в том числе драматической поэмы «Пугачёв».

Задание к тексту

1. Расскажите, что вы узнали о любви поэта Есенина к животным.
2. Прочитайте отрывок из стихотворения Есенина «Собаке Качалова[1]».

Собаке Качалова

Дай, Джим, на счастье лапу мне,
Такую лапу не видал я сроду.
Давай с тобой полаем при луне
На тихую, бесшумную погоду…

Хозяин твой и мил и знаменит.
И у него гостей бывает в доме много,
И каждый, улыбаясь, норовит
Тебя по шерсти бархатной потрогать…

Мой милый Джим, среди твоих гостей
Так много всяких и невсяких было.
Но та, что всех безмолвней и грустней,
Сюда случайно вдруг не заходила?..

Она придёт, даю тебе поруку.
И без меня, в её уставясь взгляд,
Ты за меня лизни ей нежно руку
За всё, в чём был и не был виноват.

---

[1] **Качалов Василий Иванович** (1875 – 1948) знаменитый русский актёр. С 1900 года — актёр Московского Художественного театра.

Урок 11

Читаем тексты

Вам знакомы эти слова?

Уточните их значение по словарю и переведите на родной язык.

приближа́ться | *к чему?*
прибли́зиться |
сторона́
ука́зывать | *на что?*
указа́ть |
действи́тельно
вено́к
урони́ть *сов что? куда?*
ра́неный
ми́мо *кого? чего?*
вое́нный
ка́тер
торпе́да
ско́рость *ж*
ме́жду *чем и чем?*
погиба́ть |
поги́бнуть |

экипа́ж
спаса́ть | *кого? что?*
спасти́ |
броса́ть | *что? куда?*
бро́сить |
ги́бель *ж*

***

живы́е цветы́
вено́к из цвето́в
вы́пустить торпе́ду
подво́дная ло́дка = субмари́на
не дава́ть возмо́жности *что? (с)делать? кому?*
цено́й жи́зни
с тех пор

Цветы в море

Эта история произошла несколько лет назад. Мы плыли на корабле по Балтийскому морю. Корабль уже приближался к порту, и вдруг кто-то из пассажиров закричал:

— Смотрите, в море цветы!

Все посмотрели в ту сторону, куда указывал пассажир, и действительно увидели на воде большой венок из живых цветов. Никто не мог понять, как и почему появились цветы в море. Может быть, кто-нибудь уронил этот венок с идущего корабля. И тут один пассажир заметил, что капитан корабля тоже внимательно смотрит на цветы. Пассажиры спросили капитана:

— Вы не знаете, почему в море плавает этот венок?

— Знаю, — ответил капитан. — Это случилось давно, во время войны. Наш корабль шёл в порт. На корабле было больше тысячи раненых. Я был капитаном этого корабля. Мы уже приближались к порту. Мимо нас проплыл военный катер, он тоже шёл в порт. И вдруг я увидел торпеду, выпущенную в наш корабль с подводной лодки. Скорость корабля не давала нам возможности уйти от торпеды. На катере тоже заметили торпеду. На огромной скорости катер стал возвращаться. Я и сейчас не могу понять, как он успел встать между кораблём и торпедой. Катер погиб, погиб и его экипаж. Я не знаю точно, сколько человек было на катере, но эти люди ценой жизни спасли более тысячи раненых.

С тех пор каждый год в этот день военный катер привозит на это место цветы. Моряки бросают венки из цветов на место гибели своих товарищей.

— А что же случилось с кораблём? — спросил кто-то из пассажиров.

— Корабль продолжает работать. Мы с вами сейчас плывём на нём.

Задание к тексту

1. Расскажите историю, которую вы прочитали.

1) Что увидели пассажиры корабля в море?
2) Какую историю рассказал капитан корабля?
3) Что случилось с кораблём, который спасла команда военного катера?

2. Что вы знаете о Второй мировой войне? Когда она началась, когда закончилась? Кто победил в этой войне?

3. Высказывания о войне и мире.

Худой мир лучше доброй ссоры.

Я горд тем фактом, что среди моих изобретений нет орудий убийств.

Эдисон

Будущее принадлежит Вольтеру, а не Круппу, книге, а не мечу. Будущее — жизнь, а не смерть.

Виктор Гюго

Каково бы ни было наше Завтра, наше Сегодня — это мир.

Виктор Гюго

Будет день, когда пушку будут показывать в музеях.

Виктор Гюго

Я счастлив: не безумен и не слеп.
Просить судьбу мне не о чем.
И всё же.
Пусть будет на земле дешевле хлеб,
А человеческая жизнь дороже.

Р. Гамзатов

Грамматика

Отрицательные и неопределённые местоимения и наречия

никто — изменяется, как **кто** (**никого, никому** и т.д.)
ничто — изменяется, как **что** (**ничего, ничему** и т.д.)
никакой — изменяется, как **какой** (**никакого, никакому** и т.д.)
ничей — изменяется, как **чей** (**ничьего, ничьему** и т.д.)

Предлоги употребляются между двумя частями: ни **с** кем, ни **к** кому, ни **с** чем, ни **о** чём, ни **о** какой, ни **к** какой, ни **с** чьей и т.д.

некого, нечего + дательный падеж + инфинитив

Он **никого** не встречал.	Ему **некого** встречать.
Она **никому** не писала.	Ей **некому** писать.
Он **ничего** не сказал.	Ему **нечего** сказать.

нигде	**негде**
никуда	**некуда**
никогда	**некогда**

Он **нигде** не был.	Ему **некуда** ездить.
Она **никогда** не видела его.	Ей **негде** было видеть его.
Мы **никуда** не ходили.	Нам **некуда** пойти.

Неопределённые местоимения и наречия

кто-то	**где-то**
что-то	**куда-то**
кто-нибудь	**где-нибудь**
что-нибудь	**куда-нибудь**

Неопределённые местоимения и наречия с частицей **-то** и **-нибудь** различаются степенью неопределённости: бо́льшая при наличии частицы **-нибудь**, меньшая неопределённость при наличии частицы **-то**.

— **Кто-нибудь** звонил мне? (Я не знаю, звонили мне или нет.)
— **Кто-то** звонил, но я не знаю кто. (Известно, что звонили, но неизвестно кто.)
— Он **куда-нибудь** ездил летом?
— **Куда-то** ездил, но точно не знаю куда.

Двойное отрицание

никто не … , ничего не … , нигде не … , никуда не … , никогда не … и т.д.

Мне **никто не** сказал об этой лекции.
Я **ничего не** понял из твоего объяснения.
Вчера мы **никуда не** ходили.
Я **никогда не** слышал эту песню.

Вид глагола (основные значения)

Несовершенный вид	Совершенный вид
1. Действие как процесс Он *долго* **переводил** этот текст. 2. Обычное, повторяющееся действие Она *часто* **звонила** мне. *Обычно* я **встаю** в 8 часов. 3. Констатация факта действия (общефактическое значение) — Ты **читал** этот рассказ? — Да, **читал.** — Что она **делает?** — **Смотрит** телевизор.	1. Завершённость, результат действия Он **перевёл** текст и **сел** смотреть телевизор. 2. Единичное, конкретное действие Вчера она наконец **позвонила** мне.

Вид глагола при отрицании

1. — Я хочу прочитать эту статью.
   — Не читай*, она неинтересная.
2. — Я сейчас позвоню Андрею.
   — Не звони*, его нет дома.

* **Примечание.** Употребление несовершенного вида при отрицании.

Упражнения

I. Прочитайте пословицы и афоризмы, обратите внимание на употребление отрицательных и неопределённых местоимений и наречий.

1. **Ничто** не ново под луной.
2. Не ошибается тот, кто **ничего** не делает.
3. Знать всё — значит не знать **ничего**.
4. **Ничем** не рисковать — значит ничего не иметь.
5. **Ничего** нет трудного, если есть желание.
6. **Ни на что** не похоже.
7. **Ни за что** на свете.
8. **Ничего** не делая, мы учимся дурным делам.
9. Я человек — и **ничто** человеческое мне не чуждо.
10. Богатство — **ничто** без здоровья.

11. **Никому** не вреди.
12. Время **никого** не ждёт.
13. Пускать **кому-нибудь** пыль в глаза.
14. Если уж стоит делать **что-то**, то надо делать хорошо.
15. У кого **ничего** нет, тому **нечего** терять.
16. Нищему **нечего** терять.
17. Учиться **никогда** не поздно.
18. Беда **никогда** не приходит одна.
19. «Тот, кто **никогда** не любил, **никогда** по-настоящему не жил».
    Кристи
20. «Лучше любить и потерять любовь, чем вообще **никогда** не любить».
    Теннисон
21. «Счастье **ничто** — если его не с кем разделить».
    Сэмюэль Джонсон
22. «Нельзя **что-то** приобрести без того, чтобы другой человек **чего-то** не потерял».
    Сайрус
23. «Все хотят долго жить, но **никто** не хочет становиться старым».
    Джонатан Свифт
24. «Человек не стар, пока он к **чему-то** стремится».
    Ростан

II. Дайте отрицательный ответ, используя соответствующее отрицательное местоимение или наречие в правильной форме.

Образец: — Ты **с кем-нибудь** встречался вечером?
— Нет, я **ни с кем** не встречался.

1. — Она **кому-нибудь** звонила вчера?
   — Нет, она **...**
2. — Вы **куда-нибудь** ездили летом?
   — Нет, мы **...**
3. — Ты **где-нибудь** встречал эту девушку?
   — Нет, я **...**
4. — **Кто-нибудь** сообщил о радиограмме, посланной в минуты молчания?
   — Нет, **...**
5. — Ты **когда-нибудь** плавал на океанском корабле?
   — Нет, я **...**
6. — Он о **чём-нибудь** рассказал тебе?
   — Нет, он **...**
7. — Ты **что-нибудь** делал в воскресенье?
   — Нет, я **...**

III. Употребите нужное по смыслу неопределённое местоимение или наречие в правильной форме.

Образец: **а)** — Андрей что-нибудь рассказывал о своей поездке?
— Да, много интересного.
б) —Что ты ищешь?
— Я куда-то положил ключи, не помню куда.

1. **...** звонил тебе, но я не спросил кто.
2. — **...** решил эту задачу?
— Кажется, никто.
3. **...** я видел эту книгу, только не помню где.
4. — Он **...** пишет?
— Пишет, но кому, не знаю.
5. Он **...** говорил о тебе, но не сказал с кем.
6. — Где Миша?
— Ушёл **...** .
7. — Ты слышала эту песню? — Слышала **...** очень давно.
8. — Ты **...** бывал на Валдае?
— К сожалению, нет, не бывал.
9. — Он **...** поедет в зимние каникулы?
— Думаю, да, но только не знаю куда.

IV. Прочитайте предложения, обратите внимание на разницу в конструкциях при употреблении отрицательных местоимений и наречий с частицами **ни** и **не**.

1. Летом я **никуда** не ездил.	Мне **некуда** было поехать летом.
2. Она **никому** не пишет.	Ей **некому** писать.
3. Сегодня мы **никого** не ждём.	Нам **некого** ждать сегодня.
4. Я тебе **ничего** не скажу.	Мне **нечего** сказать тебе.
5. Он со мной **ни о чём** не говорил.	Ему **не о чем** со мной говорить.
6. Она **ни с кем** не посоветовалась об этом.	Ей **не с кем** посоветоваться.
7. Он **нигде** не мог купить эту книгу.	Ему **негде** было купить эту книгу.

V. Употребите глагол нужного вида в правильной форме.

Образец: — Он давно не **заходил** к тебе?
— Давно, я приглашал его, но он так и **не зашёл**.

1. — Я пока не **...** ему об этом. — А я вчера хотел **...** ему, но так и не **...** .	писать написать
2. — Ты не знаешь, в нашем магазине не **...** этот учебник? — Сейчас не **...** , уже всё **...** .	продавать продать
3. — Андрей, я давно не **...** писем от тебя. — Ты пишешь, что недавно послал мне письмо, но я его ещё не **...** .	получать получить
4. — Ты не **...** эту статью? — Переводил, но не **...** , очень трудная.	переводить перевести
5. — Нина, ты давно не **...** сестре? — Неделю. Сегодня тоже не **...** , так как вернусь очень поздно.	звонить позвонить
6. — Он так мало **...** к экзаменам, а сдал неплохо. — А я, если хорошо не **...** , не пойду сдавать.	готовиться подготовится

VI. Прочитайте рассказ. Употребите глагол нужного вида в правильной форме.

Мы плыли на корабле по Балтийскому морю. Вдруг один из пассажиров (видеть — увидеть) в море цветы.

— Смотрите, смотрите, — (кричал — закричал) он, — цветы в море!

Все (смотреть — посмотреть), куда показывал пассажир и (видеть — увидеть), что в воде плывёт венок из живых цветов. Один пассажир (замечать — заметить), что капитан корабля тоже внимательно смотрит на цветы. Пассажиры (спрашивать — спросить) капитана:

— Вы не знаете, почему в море цветы?

— Знаю, — (отвечать — ответить) капитан. Он рассказал историю, которая (происходить — произойти) здесь много лет назад.

VII. Составьте предложения, употребив с предложенными ниже глаголами инфинитив любого подходящего по смыслу глагола.

начинать (начать), стать, продолжать, кончать (кончить), перестать, прекратить, учиться, привыкнуть, любить.

Образец: Он **продолжает изучать** английский язык.
Он **привык ложиться** поздно.

VIII. Закончите предложение по образцу.

Образец: Больной **принимает** лекарство три раза в день.
Утром он уже **принял** лекарство.

1. Обычно отец возвращался с работы в 6 часов, но вчера он ...
2. Я часто встречаю Андрея в университете, вчера я тоже ...
3. — Эту школу строили три года.
   — А ваш дом когда ... ?
   — Несколько лет назад.
4. Он часто даёт мне хорошие диски и кассеты. Недавно он ...
5. Я всегда беру книги в нашей библиотеке. Этот учебник я тоже ...
6. Магазин открывается в 10 часов, а сейчас 11, значит, он уже ...
7. Столовая закрывается в 8 часов, а сейчас 9, значит, она уже ...
8. Обычно сестра встает в 8 часов, но сегодня она ...
9. Брат обычно ложится в 11 часов, но вчера он ...
10. Мы всегда начинаем работать в 9 часов, но в пятницу мы ...
11. Таня часто помогает мне переводить трудные тексты, вот и вчера она ...
12. Сын никогда не опаздывает в школу, но в понедельник он ...
13. Наша бабушка очень хорошо готовит, недавно она ...
14. Мне не нравится эта певица, но вчера она спела прекрасную песню. Песня мне очень ...

IX. Дополните предложения по образцу.

Образец: Я **послал** письмо родителям.
Я часто **посылаю** им письма.
Завтра я тоже **пошлю** им письмо.

1. Мой друг **получил** ...
   Он часто ...
2. Я **купил** ...
   Я всегда ...
   Завтра я тоже ...
3. Я **перевожу** ...
   Этот текст я уже ...
4. Сегодня мы **сдаём** ...
   Она уже ...
   Он поедет в Петербург, если хорошо ...
5. Миша **пригласил** меня ...
   Он часто ...
   Завтра я ...
6. Сестра хорошо **рисует**.
   Недавно она ...
7. Мы **поздравили** ...
   Я обязательно ...
8. Друг часто **приносит** ...
   Вчера он ...
9. Этот музей **посещает** ...
   Вчера мы тоже ...
10. Я **взял** ...
    Я часто ...
    Завтра я ...
11. Обычно он правильно **отвечает** ...
    На этот вопрос он не ...

X. Закончите фразы.

1. Скажите, пожалуйста, …
2. Покажите, пожалуйста, …
3. Дайте, пожалуйста, …
4. Она недавно поступила …
5. Она уже окончила …
6. Я не могу привыкнуть …
7. Как зовут … ?
8. Как называются … ?
9. Что значит … ?
10. Я не знаю, сколько лет …
11. Думаю, что эта книга есть …
12. Что случилось … ?
13. Он спросил …
14. Он попросил …
15. Она не может …
16. Я не умею …
17. У него болит …
18. Мне нужно …
19. Я должен …

XI. Прочитайте текст. Употребите глаголы движения **идти** или **ехать** в правильной форме с нужной приставкой.

Вчера ко мне … брат из Пскова. Он давно не был в Москве. Вечером мы решили погулять по городу. Мы … из дома и … к остановке троллейбуса. Когда … наш троллейбус, мы … в центр. Троллейбус … мимо нашего дома, … через мост. На следующей остановке после моста мы … из троллейбуса и … пешком в центр. Когда … до Красной площади, брат удивился, как много здесь изменилось.

Потом мы … к храму Христа Спасителя. Когда брат последний раз был в Москве, храм только начинали восстанавливать. Мы … вокруг храма, погуляли немного и … домой.

Прогулка по Москве очень понравилась брату. В следующий раз мы решили … в другой район Москвы — в Царицыно.

XII. Прочитайте русские идиомы. Постарайтесь объяснить их значение. Можно ли какие-то из них заменить одним словом.

Бросать деньги (слова) не ветер.

Выйти сухим из воды.

(3) Видеть всё в розовом цвете.

(4) Дать слово кому-нибудь.

(5) Дать согласие.

(6) Делать (сделать) вид.

(7) Не лежит сердце к кому-нибудь.

Делать из мухи слона.

9. Открыть душу кому-нибудь.

10. Открыть Америку.

11. Понимать друг друга без слов.

12. Прийти к согласию.

13. Прийти ни с чем.

14. Ставить что-нибудь с ног на голову.

15. Строить что-нибудь на песке.

16. Родиться в рубашке (в сорочке).

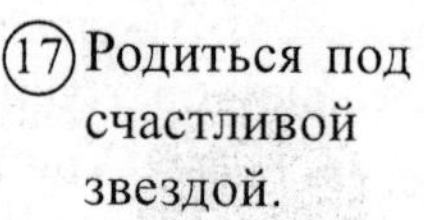

17. Родиться под счастливой звездой.

18. Смотреть сквозь пальцы на что-нибудь.

19. Смотреть в корень.

Для самостоятельного чтения

Вам знакомы эти слова?
Уточните их значение по словарю и переведите на родной язык.

теплохо́д
ради́ст
наблюда́ть *несов за кем? за чем?*
радиогра́мма
де́лается = происхо́дит
эфи́р
разреше́ние
прика́з
служе́бный
перегово́ры *мн*
пассажи́рский
су́дно *(мн суда́)*
родны́е *мн*
тропи́ческий
гру́бый
не́жный
прекраща́ться |
прекрати́ться |
переда́ча
сро́чный

маршру́т
кора́бль *м*
молча́ние
су́тки *мн*
наруша́ть | **нару́шить** *что?*
зако́н
моря́к
стро́го
нака́зывать | **наказа́ть** *кого? за что?*
дежу́рство
разда́ться *сов*
заполня́ться | **запо́лниться** *чем? кем?*
шум
по-ви́димому
ведь
дисквалифика́ция
суд
выясня́ть | **вы́яснить** *что?*
принадлежа́ть *несов кому? чему?*
наруши́тель *м*
пеленгова́ть | **запеленгова́ть** *что?*
наруше́ние
сочу́вствовать *несов кому? чему?*

***

(не) име́ть пра́во
терпе́ть бе́дствие
то́чка-тире́ (зна́ки а́збуки Мо́рзе)
а́збука Мо́рзе
настоя́щая любо́вь

Это ошибка, Мария

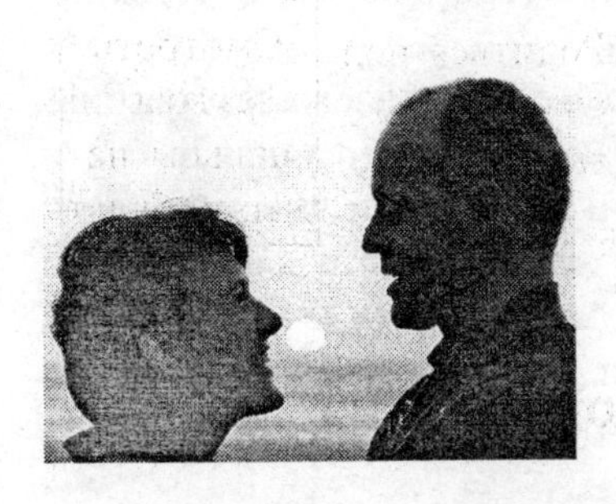

История, о которой я хочу рассказать, произошла несколько лет назад в Атлантическом океане. Я плыл на теплоходе, идущем из Гибралтара в Гавану.

Почти каждый день я приходил к радисту, разрешившему мне быть с ним в часы работы. Я с интересом наблюдал за работой радиста, принимавшего и посылавшего огромное количество радиограмм в день. Иногда, после горячих часов работы, радист давал мне послушать, что делается в эфире. Слушать, о чём говорит мир, интересно. Вот знакомый мне теплоход просит разрешения войти в канадский порт, а другой теплоход получает приказ идти в Джакарту. Но служебных переговоров не так много. Моря и океаны полны пассажирских судов. И каждый пассажир хочет послать радиограмму родным или друзьям, кто-то шлёт радиограмму из Атлантики в далёкие тропические страны. Идут радиограммы — длинные и короткие, грубые и нежные. Эфир полон звуков.

Но наступает минута, нет — секунда, когда всё прекращается. Прекращаются передачи даже самых срочных радиограмм, сообщающих об изменении погоды или изменении маршрутов кораблей. Наступают минуты молчания. Они наступают сорок восемь раз в сутки. Никто не имеет права нарушать это молчание, никто, кроме судна, терпящего бедствие. В эфир можно выйти только со словом «SOS». Это братский закон моряков всех стран, и строго наказывается судно, нарушившее его.

Дежурство радиста уже кончалось, когда наступили минуты молчания. Прошло полторы минуты, и мы уже не надеялись что-нибудь услышать, но вдруг раздался звук работающего аппарата. Но это не был сигнал бедствия. В эфир неслись точки — тире, которые быстро записывал радист. Вскоре комната заполнилась обычным шумом: минуты молчания закончились. Радист наконец перевёл мне слова, которые послал в мир неизвестный нам человек: «Это ошибка, Мария, ты слышишь меня, Мария, это ошибка, я люблю тебя».

Человек, пославший эти слова, был, по-видимому, радист, так как только он мог находиться у аппарата в минуты молчания. Мы решили, что любовь радиста очень большая, настоящая. Ведь он знал, что нарушившего минуты молчания могут строго наказать: его ждёт дисквалификация, а может быть, и суд.

Мы не смогли выяснить, какой стране принадлежала станция, передавшая эту фразу. Но кто-нибудь, наверное, это узнал.

Но вот прошло много времени и никто из сотен, а может быть тысяч, слышавших эту фразу, ничего не сообщал о нарушителе. Возможно, не успели запеленговать. А может быть … может быть, не считали это нарушением и приняли как сигнал бедствия. Ведь люди сочувствуют любящим. Люди хотят счастья для всех.

Задание к тексту

1. Расскажите историю, которая произошла однажды на теплоходе.
2. Почему сорок восемь раз в сутки наступают минуты молчания? Какую радиограмму имеет право послать радист в эти минуты?
3. Какую радиограмму принял радист в минуты молчания?
4. Что ждёт радиста, который нарушил закон и в минуты молчания послал радиограмму, которая не была сигналом бедствия?
5. Почему никто из слышавших эту радиограмму не сообщил о нарушителе?

УРОК 12

Спасский собор, г. Москва

Читаем тексты

Вам знакомы эти слова?

Уточните их значение по словарю и переведите на родной язык.

оте́ц
неве́рующий
анса́мбль *м*
отлича́ться / **отличи́ться** *чем? от кого?*
све́рстник
органи́зм
просыпа́ться / **просну́ться**
неуже́ли
огорча́ться / **огорчи́ться**
звон
ко́локол
колоко́льный
сквозь *что?*
обращён *к чему? к кому?*

***

чи́стый (све́тлый) **го́лос**
душе́вное споко́йствие
пе́сня-моли́тва
в миру́
в о́бщем
уйти́ на пе́нсию
твёрдое реше́ние
приня́тие мона́шества
в честь *кого? чего?*
духо́вные пе́сни
открыва́ть путь к хра́му (к Бо́гу)
моли́твенный час
за поро́гом

Песни отца Романа

Если вам трудно, если на душе тяжело, если кажется, что всё вокруг плохо, поставьте кассету с песнями отца Романа. Его чистый и светлый голос вернёт вам душевное спокойствие, его песни вернут вам веру, надежду.

Песни отца Романа — это песни-молитвы, которые он исполняет под гитару. Многих неверующих его песни привели к Богу.

У отца Романа был свой путь к Богу. Отец Роман, в миру Александр Матюшин, родился в обычной русской семье. Мать Александра сельская учительница. Сам Александр рос и учился, как и большинство молодых людей.

Уже в молодости Александр начал писать стихи, играл в ансамбле. Учился в университете, работал в школе. В общем, жил, как все. Единственно, чем отличался от своих сверстников, — не пил вина. Не потому, что боялся, нет — не мог, организм не принимал.

Так и жил бы Александр, работал, играл в ансамбле. Но вот однажды ранним утром он вышел из дома. Утро было ясное: поднималось солнце, просыпалась природа, которую так любил Александр. И он вдруг подумал: неужели до конца жизни он будет веселить людей, играя в ансамбле, и никогда ничего не изменится. А ведь каждый вечер он будет на один день ближе к смерти, а монах — ближе к Богу. Вечером он сказал матери, что хочет уйти в монастырь. Мать огорчилась, но не могла сказать «нет». Она только попросила его подождать. Вот она уйдёт на пенсию, тогда, если он не изменит решения, он может уйти.

Решение Александра было твёрдым. И когда мать ушла на пенсию, Александр попрощался с родительским домом.

И вот он в Печорах, в Псково-Печорском монастыре. При принятии монашества Александр получил имя Роман в честь святого Романа.

Теперь для мамы и сестры он не просто сын и брат — он отец Роман, духовный учитель, наставник.

В доме его есть иконы, которые написал он сам. Он пишет иконы, пишет духовные песни.

Его песни, как звон церковных колоколов, открывают путь к храму, путь к Богу.

Звон колокольный летит сквозь столетья,
Встретим же в храме молитвенный час.
Радость моя, мы с тобой не заметили:
Осень уже за порогом у нас.

Каждая песня отца Романа обращена к душе человека. И тем, кто услышит его песни, эти песни-молитвы помогут открыть своё сердце навстречу Богу, помогут найти дорогу к храму.

Задание к тексту

1. Расскажите историю отца Романа.
   1) В какой семье он родился? Как его звали в миру? Как он жил до принятия монашества?
   2) Почему он изменил свою жизнь?
   3) Какие песни пишет отец Роман?

2. Как по-вашему, какую роль играет вера в жизни человека?

3. Прочитайте отрывок из песни отца Романа «Родник».

Родник

Если тебе одиноко взгрустнётся,
Если не в силах развеять тоску,
Осенью мягкой, осенью тихой
Выйди тогда к моему роднику.

За родником — белый храм,
Кладбище старое.
Этот забытый край
Русь нам оставила.

Видишь вон там журавли пролетели,
У горизонта растаял их крик.
А если ты болен, прикован к постели,
То пусть тебе снится целебный родник.

Суффиксы существительных

Отглагольные существительные

Суффиксы	Глагол	Существительное
-ени-	изучать обучить появляться	изуч**ени**е обуч**ени**е появл**ени**е
-ани-	наказать образовать формировать	наказ**ани**е образов**ани**е формиров**ани**е
-тель	жить читать писать	**житель** чита**тель** писа**тель**

Существительные, образованные от прилагательных

Суффиксы	Прилагательное	Существительное
-ость	молодой старый независимый	молод**ость** стар**ость** независим**ость**
-ство	равный мужественный качественный	равен**ство** муже**ство** каче**ство**

Существительные, образованные от существительных

Суффикс	Существительное	Существительное
-ик	история физика математика	истор**ик** физ**ик** математ**ик**

Глагольные приставки

с(о)-	**с**ъехаться **со**йтись **с**лететься **с**лить (в один стакан)	**раз(о)-**	**раз**ъехаться **разо**йтись **раз**лететься **раз**лить (по стаканам)
Гости **с**ъехались к ужину.		Гости **раз**ъехались поздно.	
раз-	*в значении противоположного действия* полюбить — **раз**любить одеться — **раз**деться вооружить — **раз**оружить		
по-	*немного* **по**спать (**по**читать, **по**гулять) **по**жить там неделю	**про-**	**про**спать весь день **про**читать книгу **про**гулять всю ночь **про**жить там всю жизнь
по-	*начало действия:* Вдруг **по**дул сильный ветер (начал дуть).		
за-	*начало действия:* Мотор вдруг **за**работал. Все **за**смеялись (начали смеяться). Он **за**пел новую песню (начал петь).		
за-	*с глаголами движения* **за**йти, **за**ехать *куда? к кому?* **за**йти в магазин, **за**ехать к другу		
до-	*достижение цели (предела)* **до**йти до деревни, **до**читать книгу		
пере-	*переместиться* **пере**ехать на другую квартиру (в другой город) **пере**йти в другой институт		
пере-	*сделать заново* **пере**писать письмо ещё раз, **пере**читать роман **пере**звонить по другому телефону		

Упражнения

I. Прочитайте пословицы и афоризмы, обратите внимание на употребление суффиксов существительных. Подумайте, какое значение имеют эти суффиксы?

Смел**ость** города берёт.
Стар**ость** не рад**ость**.
Если бы молод**ость** знала, если бы стар**ость** могла.
Бедн**ость** — не порок.
Молч**ани**е — знак согласия.
Слово — серебро, молч**ани**е — золото.
Зн**ани**е — сила.
Нет правил без исключ**ения**.
Большому кораблю — большое плав**ание**.
Было бы жел**ани**е, а возможн**ость** найдётся.
Повтор**ение** — мать ученья.
Терп**ение** и труд всё перетрут.
Доброе слово лучше богат**ств**а.
Доброе имя лучше богат**ства**.
Здоровье — первое богат**ство**.
Опыт — лучший учи**тель**.
Отсутствие новостей — хорошая нов**ость**.
Победи**теля** не судят.
Точн**ость** — вежлив**ость** королей.
«Кто не был учен**ик**ом, тот не будет учи**тел**ем». *Боэций*
«Чт**ени**е — вот лучшее уч**ени**е». *Пушкин*

II. а) Образуйте существительные с суффиксами **-ани**е, **-ени**е от следующих глаголов.

знать	молчать	производить
изменять	петь	появляться
изучать	плавать	
исключать	повторять	

Составьте с этими существительными предложения.

Образец: Нет правил без **исключения**.

б) Образуйте существительные с суффиксом **-тель** от следующих глаголов.

воспитать / писать / служить / хранить
жить / победить / слушать / читать
исполнять / получать / строить
мыслить / посетить / учить

Составьте с этими существительными предложения.

Образец: **Учитель**, воспитай ученика.

в) Образуйте существительные с суффиксами **-ость, -ство** от следующих прилагательных.

бедный / молодой / старый
богатый / мужественный / точный
вежливый / опасный / трусливый
возможный / смелый

Составьте с этими существительными предложения.

Образец: Здоровье — первое **богатство**.
Бедность — не порок.

III. Составьте предложения с данными глаголами. Обратите внимание на разные значения приставок **за-** и **по-**: **зашуметь — пошуметь, заговорить — поговорить, замолчать — помолчать, запеть — попеть**.

Образец: Услышав рассказ Андрея, все **засмеялись**.
— Ну, **посмеялись** немного и хватит, — сказал Андрей.

IV. Замените выделенные глаголы глаголами с приставкой **за-** или **по-**.

Образец: **а)** Писем из дома давно не было, и Олег **начал волноваться**.
Писем из дома давно не было, и Олег **заволновался**.
б) Небо **стало темнеть**, пошёл дождь.
Небо **потемнело**, пошёл дождь.

1. Когда мы вошли в зал, **начала играть** музыка.
2. Увидев, что мама уходит, мальчик **стал плакать**.
3. Уже в юности он **стал интересоваться** духовной музыкой.
4. Отец Роман начал писать стихи в юности, позднее он **стал петь** свои песни-молитвы под гитару.
5. Пока он рассказывал свою историю, все молча слушали. Когда он кончил, все вдруг **стали говорить, спорить**.
6. Среди ночи кто-то вдруг **стал** громко **стучать** в нашу дверь.

7. К вечеру погода испортилась, **стал дуть** сильный ветер, пошёл снег.
8. После прогулок пешком он **стал чувствовать** себя лучше.
9. Здесь ему **стало нравиться** всё: лес, тихая речка, свежий речной ветерок.

V. Составьте предложения, употребив данные ниже глаголы с приставками **по-** и **про-: читать, говорить, сидеть, лежать, спать**. Используйте выражения: **минут 10, час, год, несколько лет, всю жизнь** и т.д.

Образец: Я немного **полежал**, и голова прошла.
Вчера я **пролежал** весь день, так как плохо себя чувствовал.
Мы час **позанимались** и пошли в кино.
Мы **прозанимались** несколько часов без отдыха.

VI. Составьте предложения с данными ниже выражениями. Обратите внимание на значение глагольной приставки **пере-**.

Переписать письмо, перестроить дом, переделать заново всю работу, пересдать экзамен, перечитать книгу, перейти в другой институт, переехать на новую квартиру, переставить мебель в квартире, переслать что-нибудь по-другому адресу, перезвонить по другому телефону.

Образец: — Ты идёшь с нами на выставку?
— Нет, я **передумал**: у меня не будет времени.
— Будьте добры, попросите Андрея.
— **Перезвоните**, пожалуйста, по номеру 125–32–40.

VII. а) Прочитайте текст. Обратите внимание на значение глагола **писать** с разными приставками.

Я долго не писал другу. Вчера **написал** ему небольшое письмо, но не отправил его. Сегодня решил **дописать** ещё, рассказав о последних событиях моей жизни. Перечитал всё, что **написал**, и решил **переписать** письмо заново. Получился большой рассказ о моей жизни. Я **описал** все события, которые произошли за это время: где теперь работаю, как отдыхаю, что читаю. **Написал**, что кроме двух журналов, которые я обычно **выписываю**, я **подписался** ещё на один новый журнал. Сообщил, что у меня изменился номер телефона. Просил друга **записать** и запомнить мой новый номер.

Дописав наконец письмо, я ещё раз извинился за долгое молчание и **подписался**: «Твой друг Андрей».

б) Составьте с выделенными глаголами предложения.

VIII. Составьте предложения, употребив антонимы к выделенным глаголам.

а) Образец: На день рождения к нему из разных городов **съехались** старые друзья.
Почти все гости **разъехались**, а мы ещё продолжали начатый разговор.

1. На шум **сбежались** люди из соседних домов.
2. На конгресс **съехались** делегаты из разных стран.
3. Две группы рабочих, строивших туннель, **сошлись** в середине пути.
4. Мама поставила на балкон тарелку с крупой, и туда быстро **слетелись** птицы.

б) Образец: Она **слила** в один графин яблочный и апельсиновый сок.
Хозяин **разлил** вино по бокалам.

1. Он **собрал** нужные вещи и положил их в чемодан.
2. Она **связала** концы лент.
3. Дорога **соединяла** две деревни.
4. Она **сложила** письма от детей и перевязала их лентой.

IX. Прочитайте сочетания глаголов с существительными. Продолжите ряды существительных, где это возможно. Составьте предложения с данными сочетаниями.

1. **выбрать** книгу, сувенир, специальность, ...
   собирать книги, марки, картины, ...
   собираться в кино, на юг, ...
   убрать комнату, вещи в шкаф, ...
2. **задержать** движение, гостя, ...
   задержаться на работе, в гостях, ...
   поддержать друга в беде, чьё-либо предложение, ...
   одержать победу, верх над кем-нибудь, ...
   удержать в руках горячий стакан, тяжёлый чемодан, ...
3. **доводить (довести)** дело (работу) до конца, ...
   отводить (отвести) сына в школу, ...
   отводить (отвести) душу, ...
   сводить детей на концерт, на спектакль, ...
   переводить (перевести) бабушку через дорогу, ...

X. Продолжите ряды однокоренных слов. Составьте предложения с этими словами.

1. родина, родители, родиться, рождение, родной, ...
2. учить, учиться, учёба, учебник, учитель, ученик, ...
3. строить, строитель, стройка, строительство, ...
4. жить, жизнь, житель, живой, общежитие, ...
5. гость, гостить, гостиница, гостеприимный, гостеприимство, ...
6. друг, подруга, дружить, дружба, дружеский, ...
7. любить, любовь, любимый, любитель, любоваться, любознательный, ...
8. писать, письмо, писатель, записать, записка, ...
9. работа, работать, рабочий, работник, работоспособный, работоспособность, ...
10. верить, вера, неверие, верующий, ...
11. монах, монахиня, монастырь, монастырский, ...
12. колокол, колокольный, колокольня, ...

XI. Прочитайте слова и выражения. Объясните, как вы понимаете разницу между словами: **духовный** и **душевный**.

1. Душа, душевный: душевный человек, задушевная беседа, душевное слово, душевное спокойствие.
2. Дух, духовный: духовная музыка, духовная жизнь, духовная культура, духовная литература.

XII. Прочитайте текст, употребите глаголы **идти** и **вести** в правильной форме с нужным предлогом.

Песни отца Романа

Однажды я ... к другу, и он дал мне послушать удивительные песни отца Романа. Когда я ... из квартиры друга и ... домой, мне казалось, что я всё ещё слышу этот голос.

Теперь у меня целая коллекция песен отца Романа. Я прочитал, что смог, об их авторе. Отец Роман, в миру Александр Матюшин, не сразу ... к Богу. Сначала он жил, как все молодые люди: учился, работал, играл в ансамбле.

Но однажды он вдруг подумал, неужели он так и будет продолжать веселить людей, играя в ансамбле. Ведь каждый день приближает его к смерти, а монах ближе к Богу.

Дома он сказал матери, что хочет ... в монастырь.

И вот он в монастыре. Отец Роман пишет иконы, пишет духовные песни. Многих неверующих его песни ... к Богу, помогли найти дорогу к храму.

Для самостоятельного чтения

Вам знакомы эти слова?
Уточните их значение по словарю и переведите на родной язык.

дре́вний
монасты́рь *м*
мона́х
мона́хиня
ле́топись *ж*
хро́ника
собы́тие
ико́на
иконопи́сь *ж*
ро́спись *ж*
храм
шить *несов что?*
моли́тва
пост
восстановле́ние
крупне́йший
почита́емый
свято́й
оби́тель *ж*
правосла́вный
расширя́ться | **расши́риться**
благодаря́ *чему?*
авторите́т
подде́ржка
перепи́сывать | **переписа́ть** *что?*
привлека́ть | **привле́чь** *кого?*
собо́р
колоко́льня
кре́пость *ж*
защища́ть | **защити́ть** *кого? что? от кого?*
в основно́м

похоро́нен
кла́дбище
игу́мен
фре́ска
осно́ва *чего?*
во́ин
ору́жие
ве́ра
храни́тель *м*
це́нности *мн*

***

дре́вние времена́
духо́вная жизнь
духо́вные книги
физи́ческий труд
сельскохозя́йственные рабо́ты
служе́ние Бо́гу
принима́ть | **приня́ть** **мона́шество**
исто́рико-культу́рный па́мятник
де́йствующий монасты́рь
мона́шеская ке́лья
положи́ть нача́ло *чему?*
свята́я оби́тель
настоя́тель оби́тели (монастыря́)
духо́вная семина́рия (акаде́мия)
архитекту́рный анса́мбль
крепостна́я стена́
зна́тный род
под руково́дством *кого?*
произведе́ние иску́сства
дава́ть возмо́жность *кому?*
кра́йняя опа́сность

Русские монастыри

Новодевичий монастырь, г. Москва

С древних времён монастыри на Руси были центром русской духовной и культурной жизни. Монахи писали и переписывали древние книги, писали летопись — хронику важнейших исторических событий. Многие факты из истории страны стали известны учёным из летописей, которые сохранились в русских монастырях.

В монастырях жили и работали иконописцы, в том числе такие знаменитые, как Андрей Рублёв и Феофан Грек. Они писали иконы, делали роспись храмов.

Духовные книги, летописи, иконы — это было только частью жизни монахов. Все монахи занимались самым разным и часто тяжёлым физическим трудом. Они сами строили свои монастыри, занимались сельскохозяйственными работами, шили одежду, монахи ухаживали за больными в приютах и больницах. И конечно, главное, что было в жизни монахов, — служение Богу: молитва и пост. Человек, который принимал монашество, знал, что вся его жизнь будет отдана Богу.

Монастырей в России было много. Не все они сохранились. Многие были разрушены, часть стала историко-культурными памятниками. Но сейчас по всей стране идёт восстановление храмов и монастырей.

Крупнейший из действующих сейчас мужских монастырей — Троице-Сергиева лавра находится в городе Сергиев Посад недалеко от Москвы. Основал монастырь в 1337 году один из самых почитаемых на Руси святых Сергий Радонежский. В 1337 году в лесу на холме он построил небольшую церковь и монашескую келью. Так было положено начало святой обители, которая со временем стала центром русской православной жизни — знаменитой Троице-Сергиевой лаврой.

Небольшой монастырь, построенный около кельи святого Сергия, постепенно расширялся, росло число монахов. Рядом с маленькой церковью Сергия Радонежского строили новые храмы.

Люди шли к Сергию за духовной помощью. Около монастыря выросла деревня, а позднее город Сергиев Посад.

Сергий Радонежский стал настоятелем основанной им Троицкой обители, а Троицкий монастырь стал благодаря авторитету его настоятеля широко известным святым местом, куда со всех концов Руси приходили и приезжали верующие. Здесь они получали помощь и поддержку.

Святой Сергий сделал монастырь центром русской книжной культуры. Здесь монахи переписывали древние книги, писали новые.

Сейчас в Сергиеве Посаде самый крупный в России мужской монастырь, духовная семинария и духовная академия. Здесь же находится богатейшая библиотека духовной литературы.

Тысячи верующих приезжают в лавру в дни церковных праздников.

Прекрасный архитектурный ансамбль Троице-Сергиевой лавры, её храмы привлекают многочисленных туристов.

Русские монастыри — уникальные памятники духовной культуры.

Наиболее известными из московских монастырей являются Новодевичий и Андроников монастыри.

Новодевичий монастырь был основан в 1524 году в память о возвращении в состав русского государства города Смоленска. Ансамбль монастыря строился в XVI – XVIII веках. Это один из самых красивых архитектурных ансамблей Москвы. Первым в 1525 году был построен Смоленский собор. Позднее были построены церковь и колокольня.

Монастырь окружает крепостная стена с юга. Этот монастырь-крепость защищал город с юга.

Новодевичий монастырь, как видно из его названия, был женским монастырём. Монахини этого монастыря были в основном женщины из царской семьи или знатного рода.

На территории монастыря похоронены герои войны с Наполеоном 1812 года, деятели культуры XIX века.

Рядом с монастырём находится Новодевичье кладбище. Здесь похоронены русские писатели: Гоголь, Чехов, Булгаков, известные учёные, актёры, политики.

Долгое время Новодевичий монастырь был музеем, историко-культурным памятником. Сейчас в нём вновь открыт женский монастырь.

Андроников монастырь, защищавший Москву с юго-востока, был основан игуменом Андроником, учеником святого Сергия Радонежского. Надо сказать, что четвёртая часть всех монастырей была основана учениками святого Сергия.

В Андрониковом монастыре находится самое старое здание Москвы — это Спасский собор, который был построен в 1410 – 1427 годах. В соборе сохранилась часть фресок, выполненных под руководством знаменитого иконописца Андрея Рублёва. Андрей Рублёв провёл в этом монастыре последние годы своей жизни и был там похоронен.

В 1960 году в дни, когда отмечался 600-летний юбилей Андрея Рублёва, на территорию монастыря был переведён музей древнерусского искусства. Сейчас это Центральный музей древнерусской культуры и искусства имени Андрея Рублёва. В собрании музея — произведения искусства XIV – XVIII веков. Основу коллекции составляют иконы. В музее можно увидеть копии фресок Андрея Рублёва и Феофана Грека и многое другое. На площади, рядом с монастырём, открыт памятник Андрею Рублёву.

На территории монастыря похоронен основатель русского театра Фёдор Волков.

Небольшой рассказ о русских монастырях даёт возможность понять, какую роль играли монастыри в жизни народа. Монастырские стены защищали город от врагов. Такие города, как Москва, Новгород, Псков, были окружены кольцом монастырей.

В случае крайней опасности монахи, как простые воины, поднимались на защиту родной земли. В обычное время их оружием было слово и вера.

Но, главное, монастыри были хранителями культурных и духовных ценностей, центрами духовной жизни народа.

Задание к тексту

1. Что вы узнали о русских монастырях?

2. Какую роль играли монастыри в жизни русского народа?

3. Расскажите, что вы узнали о Троице-Сергиевой лавре и о двух московских монастырях.

УРОК 13

Храм Христа Спасителя, г. Москва

Читаем тексты

Вам знакомы эти слова?

Уточните их значение по словарю и переведите на родной язык.

назва́ние
упомина́ться *несов где?*
кня́жество
еди́ный
юбиле́й
прави́тельство
реставри́ровать *несов что?*
побе́да *над кем?*
ро́спись *ж*
разруше́ние *чего?*
пра́зднование *чего?*
промы́шленник
мецена́т
предоста́вить *сов что?*
влива́ться *несов куда?*
си́ла
подо́бный *чему?*
ку́пол
вид
существова́ть *несов*

представля́ть | **себе́** *что?*
предста́вить | **себе́** *что?*

***

храм Христа́ Спаси́теля
в ознаменова́ние *чего?*
золоты́е купола́
сбор средств
приня́ть реше́ние
истори́ческий о́блик
в честь побе́ды
Оте́чественная война́ 1812 го́да
Оте́чественная война́ 1941 – 1945 годо́в
на по́льзу
ска́зочная страна́
ска́зочный го́род
ничего́ подо́бного
Москва́ златогла́вая
мо́ре красоты́

Москве 850 лет

Возможно со временем возникнут города на земле
во стократ многолюдней и обширней,
но наша Москва не повторится.
Леонид Леонов

В 1997 году столице России городу Москве исполнилось 850 лет.

Название Москва впервые упоминается в летописи в 1147 году.

С XIII века Москва была центром Московского княжества, а в XV веке стала столицей единого Российского государства.

В 1712 году царь Пётр I перенёс столицу в город Санкт-Петербург, который он основал в 1703 году.

В 1918 году столицей снова стала Москва.

В 1947 году в нашей стране отмечали большой праздник — 800-летний юбилей столицы.

И вот опять юбилей: Москве 850 лет.

Правительство города серьёзно готовилось к этому празднику. Реставрировались и восстанавливались архитектурные памятники Москвы. К этой дате был восстановлен храм Христа Спасителя.

Храм Христа Спасителя был построен в конце XIX века в ознаменование победы над Наполеоном в войне 1812 года. Храм строился около пятидесяти лет. Роспись в храме была сделана лучшими художниками России.

Красавец храм был самым большим православным храмом. Подъезжавшие к Москве издалека видели его золотые купола.

В 1931 году храм был разрушен. Через 60 лет после разрушения храма начался сбор средств на его восстановление. Было принято решение восстановить храм к празднованию 850-летия Москвы.

Храм построили в центре Москвы на том месте, на котором он стоял прежде. Удалось восстановить его исторический облик.

Построенный в своё время в честь победы русского народа в Отечественной войне 1812 года теперь храм стал символом двух побед: в войне 1812 года и победы в Отечественной войне 1941 – 1945 годов.

Многое помнит древняя русская столица Москва. Сколько замечательных юбилеев отмечено в Москве только в наше время — во второй половине XX века.

В 1956 году отмечался столетний юбилей Третьяковской галереи, основанной русским купцом Павлом Михайловичем Третьяковым. Третьяковская галерея — самый большой музей русского искусства.

В 1962 году столетний юбилей отмечала самая большая библиотека страны — Российская государственная библиотека (бывшая Румянцевская).

В 1976 году двухсотлетний юбилей отмечал Большой театр — центр русской музыкальной культуры.

В 2005 году отмечал свой 250-летний юбилей Московский государственный университет, основанный по проекту Михаила Васильевича Ломоносова. Московский университет был первым русским университетом.

Невозможно назвать все знаменательные даты, связанные с историей Москвы. Это и понятно, ведь с древних времён Москва была центром культурной, экономической и политической жизни страны, Москва дала России и миру много замечательных людей: учёных, поэтов, писателей, художников. В Москве жили и работали известные русские промышленники — меценаты Алексеевы, Третьяковы. Они строили храмы, школы, больницы, театры, музеи.

Каждый из них мог бы сказать о себе то, что сказал Алексей Александрович Бахрушин, основатель Театрального музея: «...не обязан ли я, сын великого русского народа, предоставить моё собрание на пользу этого народа».

Многие наши поэты и писатели с любовью писали о Москве.

Москва... как много в этом звуке
Для сердца русского слилось!

— писал Александр Сергеевич Пушкин.

Москва! Москва! Люблю тебя, как сын,
Как русский, — сильно, пламенно и нежно!

— писал Михаил Юрьевич Лермонтов.

А драматург А.Н. Островский, пьесы которого и сейчас идут на сценах самых разных театров, писал: «В Москве всё русское становится понятнее и дороже. Через Москву... вливается в Россию... народная сила».

Одна из книг о Москве так и называется «Москва и москвичи». Автор этой книги В.А. Гиляровский хорошо знал и любил Москву.

Норвежский писатель Кнут Гамсун, побывавший в России, написал о России книгу «В сказочной стране». Он пишет, что бывал во многих странах, видел много прекрасных городов, но Москва — это «сказочный город» и нигде и никогда он не видел ничего «подобного Московскому Кремлю».

Золотые купола московских церквей и храмов, их было более четырёхсот, дали Москве название «Москва златоглавая». Именно о них, о золотых куполах в московском небе, писал Гамсун: «С Кремля открывается вид на целое море красоты. Я никогда не представлял себе, что на земле может существовать подобный город…»

И, конечно, о Москве написано много песен. Одна из таких песен «Моя Москва» стала гимном города.

Задание к тексту

1. Какие юбилеи отмечала Москва в 1947 и 1997 годах?
2. Как готовилась Москва к своему 850-летию?
3. Символом каких побед является восстановленный храм Христа Спасителя?
4. Какие юбилеи отмечались в Москве во второй половине XX века (в шестидесятые, семидесятые годы)? В 2005 году?
5. Какие поэты и писатели писали о Москве?
6. Были ли вы в Москве? Что понравилось вам в Москве?
7. Слышали ли вы песни о Москве? Если слышали, то какие.
8. Прочитайте отрывок из песни автора и исполнителя Олега Газманова «Москва». Песня была написана к 850-летию Москвы.

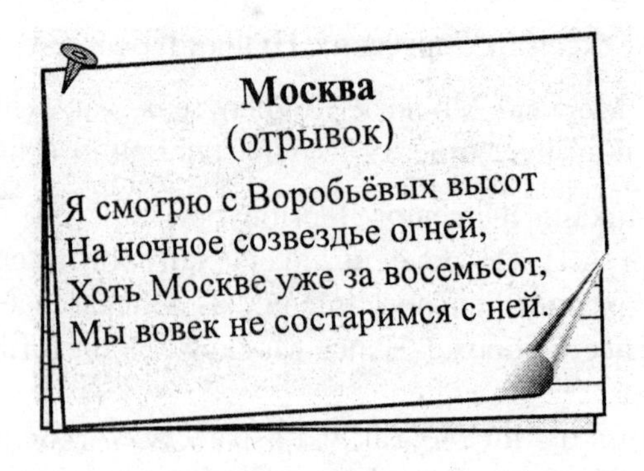

9. Прочитайте песню «Моя Москва».

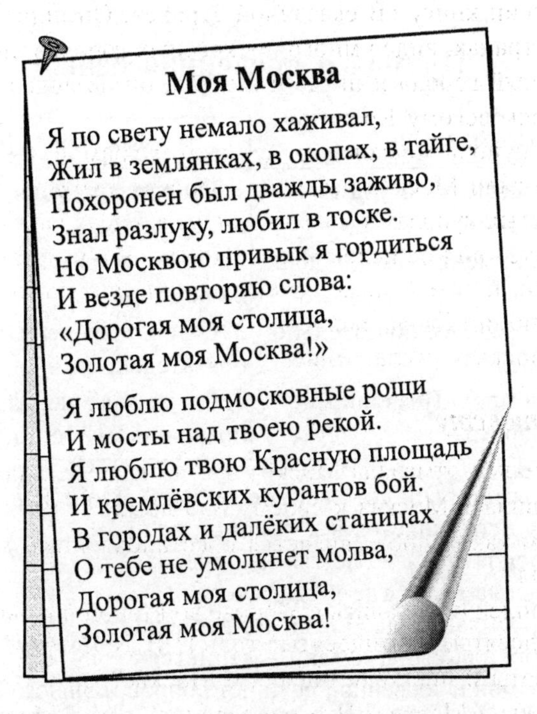

Моя Москва

Я по свету немало хаживал,
Жил в землянках, в окопах, в тайге,
Похоронен был дважды заживо,
Знал разлуку, любил в тоске.
Но Москвою привык я гордиться
И везде повторяю слова:
«Дорогая моя столица,
Золотая моя Москва!»

Я люблю подмосковные рощи
И мосты над твоею рекой.
Я люблю твою Красную площадь
И кремлёвских курантов бой.
В городах и далёких станицах
О тебе не умолкнет молва,
Дорогая моя столица,
Золотая моя Москва!

Эту песню исполняют на празднике «День города», который отмечают в сентябре, на торжественных собраниях, посвящённых Москве. И, конечно, эта песня звучала в дни юбилея Москвы, когда нашей столице исполнилось 850 лет.

Фигурные ворота в Царицыне

Грамматика

Прямая и косвенная речь

Прямая речь	Косвенная речь
1. Он спросил меня: «Куда ты поедешь летом?»	1. Он спросил меня, **куда** я поеду летом.
2. Он спросил меня: «Ты пойдёшь на концерт?»	2. Он спросил меня, пойду **ли** я на концерт.
3. Он сказал мне: «Я обязательно позвоню тебе».	3. Он сказал мне, **что** он обязательно позвонит мне.
4. Он сказал мне: «Позвони мне сегодня вечером».	4. Он сказал мне, **чтобы** я позвонил ему сегодня вечером.

1. Если в прямой речи есть вопросительное слово (где, куда, когда и т.д.), оно сохраняется в косвенной речи:
   Аня спросила меня: «Где ты был вчера?»
   Аня спросила меня, где я был вчера.
   Мама спросила сына: «Когда ты вернёшься?»
   Мама спросила сына, когда он вернётся.
2. Если в прямой и косвенной речи нет вопросительного слова, в косвенной речи употребляется **ЛИ**, которая всегда стоит на втором месте после слова, выражающего вопрос.
   Нина спросила меня: «Ты знаешь его телефон?»
   Нина спросила меня, знаю ***ли*** я его телефон.
   Андрей спросил Аню: «У тебя есть этот журнал?»
   Андрей спросил Аню, есть ***ли*** у неё этот журнал.
3. Если в прямой речи содержится информация, в косвенной речи употребляется союз **что**.
   Он сказал: «Я завтра уезжаю в Саратов».
   Он сказал, ***что*** завтра уезжает в Саратов.
   Брат написал: «У нас всё время идут дожди».
   Брат написал, ***что*** у них всё время идут дожди.
4. Если в прямой речи содержится просьба, приказ и совет, в косвенной речи употребляется союз **чтобы**.
   Преподаватель сказал: «Завтра будьте готовы к контрольной работе».
   Преподаватель сказал, ***чтобы*** мы были готовы к контрольной работе.

Сестра сказала мне: «Позвони Нине».
Сестра сказала мне, ***чтобы*** я позвонил Нине.

Употребление местоимений в прямой и косвенной речи

Он спросил меня: «Что **ты** читаешь?»	Он спросил меня, что **я** читаю.
Друг сказал Андрею: «Сегодня **я** не приду к **тебе**».	Друг сказал Андрею, что сегодня **он** не придёт к **нему**.

Употребление *ли* и *если*

— Пойдёшь ***ли*** ты завтра на стадион?
— Пойду ***ли*** я завтра, не знаю.
Ли употребляется для выражения вопроса или неуверенности.

— ***Если*** решишь пойти, позвони мне.
Если употребляется только для выражения условия.
Если не будет дождя, поедем за город.

Употребление *что* и *чтобы*

Незнакомец сказал Мерцалову, ***что*** он врач.
Друг написал мне, ***что*** скоро вернётся в Москву.
Что употребляется после глаголов, выражающих вопрос или сообщение (информацию).

Врач сказал отцу, ***чтобы*** он купил лекарство.
Бабушка попросила внуков, ***чтобы*** они летом приехали к ней.
Чтобы употребляется после глаголов, выражающих просьбу, приказ, совет, желание.

спрашивать спросить } **что?**	просить попросить хотеть требовать } **чтобы**

Упражнения

I. а) Прочитайте текст, обратите внимание на употребление прямой речи.

В дни празднования 850-летия Москвы ко мне приехал друг из Новосибирска. Он давно не был в Москве и хотел не только увидеть празднование юбилея, но и погулять по Москве, посмотреть, что изменилось в ней.

И вот мы встретились. Конечно, первый вопрос:

— Как ты живёшь?

На этот вопрос ответить не так легко, как кажется. Поэтому отвечаю коротко:

— Живу. А как, сам увидишь.

Юбилейные торжества мы в основном смотрели по телевизору. А в понедельник отправились на экскурсию по Москве.

Я спросил друга:

— Куда едем?

— Конечно, в центр, на Красную площадь, — ответил он.

На Красной площади он увидел недавно восстановленные Воскресенские ворота.

— Что это? Неужели Воскресенские ворота?

— Да, — ответил я, — недавно восстановили.

Потом мы погуляли около храма Христа Спасителя. И опять вопросы друга:

— Восстановили, так быстро? Ведь три года назад здесь ещё ничего не было.

— Да, — соглашаюсь я, — быстро восстановили.

Я предложил другу сфотографироваться около храма. Несколько фотографий мы сделали на Красной площади.

— Ну что ж, — сказал я, — давай сегодня закончим прогулку, а завтра продолжим. Хочу тебе предложить поездку в Царицыно.

Друг согласился, и мы вернулись домой усталые и довольные.

б) Расскажите текст от первого лица, преобразовав косвенную речь в прямую.

Образец: Друг сказал: «Я хочу погулять с тобой по Москве».
Друг сказал, что он хочет погулять со мной по Москве.

II. Дополните предложения, употребив слова **что** или **чтобы**.

Образец: Он сказал, **что** никогда не видел подобного города.
Он сказал, **чтобы** я обязательно побывал в Москве.

1. Друг из Сибири писал мне, **...** он был в Москве в дни её юбилея.
Брат написал, **...** летом я приехал к нему.
2. Таня сказала, **...** знает наизусть песню «Моя Москва».
Андрей попросил, **...** Таня написала ему слова этой песни.
3. Преподаватель сказал нам, **...** храм Христа Спасителя был восстановлен к 850-летию Москвы.
Он сказал нам, **...** в дни русских православных праздников мы побывали на службе в этом храме.
4. Андрей три года не был в Москве и удивился, **...** в Москве за это короткое время многое изменилось.
Он хотел, **...** мы вместе совершили прогулку по Москве.
5. Мой иностранный гость сказал, **...** хочет пойти в Третьяковскую галерею.
Он хотел, **...** мы вместе побывали в московских театрах.

III. Дополните предложения, употребив слова **ли** или **если**.

Образец: Напишешь **ли** ты Джону?
Если будешь писать Джону, передай ему привет от меня.

1. Знаете **...** вы, когда был основан первый русский университет?
... вы послушаете эту лекцию, вы многое узнаете об истории Москвы.
2. **...** у вас будет время, посетите Марфо-Мариинскую обитель.
Помните **...** вы, кто основал эту обитель?
3. **...** ты будешь в этом магазине, купи мне карту Москвы.
Хорошо **...** вы знаете историю своего города?
4. Знаете **...** вы, что в 1976 году Большой театр отметил свой двухсотлетний юбилей.
... вы будете в Москве, постарайтесь побывать в Большом театре.
5. Слышали **...** вы песни о Москве?
... вы слышали песни о Москве, какие песни вам понравились?
6. Знаете **...** вы, какие юбилеи отмечали в Москве во второй половине XX века?
... вы читали об этих юбилеях, расскажите о них.

IV. Ответьте по образцу.

Образец: Преподаватель спросил студентов: «Что вы знаете о Москве?»
— Что спросил преподаватель?
— Он спросил студентов, что они знают о Москве.

1. Брат спросил сестру: «Где ты купила эту книгу?»
— О чём спросил брат?
2. Пассажиры спросили капитана: «Почему в море плавают цветы?»
— О чём спросили пассажиры?
3. Капитан сказал: «Эта история произошла во время войны».
— Что сказал капитан?
4. Он сказал: «Я работал на этом корабле 10 лет назад».
— Что он сказал?
5. Друг спросил меня: «О каких русских монастырях ты читал?»
— О чём друг спросил вас?
6. Таня спросила Нину: «Ты слышала песни отца Романа?»
— О чём спросила Таня?
7. Сын сказал матери: «Я хочу уйти в монастырь».
— О чём сказал сын?
8. Андрей спросил меня: «Когда вы были на экскурсии в Новодевичьем монастыре?»
— О чём спросил Андрей?

V. Прочитайте диалоги. Ответьте на вопросы по образцу.

Образец: Т а н я: Ты был в Москве во время празднования юбилея?
А н д р е й: Да, был.
— Что спросила Таня?
— Таня спросила, был ли Андрей в Москве во время юбилея.
— Что ответил Андрей?
— Андрей ответил, что он был в Москве.

1. О л е г: Тебе понравился концерт Лучано Паваротти на Красной площади?
О л я: Да, очень, это мой любимый певец.
— Что спросил Олег? Что ответила Оля?
2. Д ж о н: Мы едем в воскресенье в Сергиев Посад?
А н д р е й: Да, едем.
— Что спросил Джон? Что ответил Андрей?

3. Н и н а: Ты дашь мне переписать кассеты с песнями отца Романа?
   Т а т ь я н а: Да, я могу их принести завтра.
   — Что спросила Нина? Что ответила Татьяна?
4. А н д р е й: Ты хочешь пойти со мной в Музей Рублёва?
   Д ж о н: Хочу, я ещё не был в этом музее.
   — Что спросил Андрей? Что ответил Джон?
5. А н д р е й: А в Третьяковской галерее ты был?
   Д ж о н: Был — два раза, с удовольствием пойду ещё.
   — Что спросил Андрей? Что ответил Джон?
6. А н д р е й: Что ты читаешь?
   Д ж о н: Рассказ Шукшина.
   А н д р е й: Всё понимаешь?
   Д ж о н: Нет, не всё. Если можешь, помоги мне перевести.
   — Что спросил Андрей? Что ответил Джон? О чём попросил Джон?

VI. Ответьте на вопросы по образцу.

Образец: — Летом ты поедешь на родину?
— Поеду ли я на родину, не знаю.

1. Завтра будет эта лекция?
2. Джон сдал экзамен по русскому языку?
3. Занятия у них уже кончились?
4. Они ездили в Петербург на экскурсию?
5. В субботу будет вечер?
6. Выставка Кустодиева уже открылась?
7. Ты поедешь завтра в Музей Бахрушина?
8. Они были в университете на празднике «Татьянин день»?

VII. Ответьте на вопросы по образцу.

а) ***Образец:*** — Пригласил ли ты Наташу на вечер?
— Нет ещё, но сегодня приглашу.

1. Ответил ли ты на его письмо?
2. Послал ли ты телеграмму родителям?
3. Перевёл ли ты этот текст?
4. Сказал ли ты Джону о консультации?
5. Взял ли ты у Андрея новые диски?
6. Передал ли ты ему мою записку?

б) Образец: — Игорь спрашивает, позвонишь ли ты?
— Скажи ему, что я обязательно позвоню.

1. Нина спрашивает, встретишь ли ты её?
2. Олег спрашивает, пригласишь ли ты Джона?
3. Таня спрашивает, дашь ли ты ей этот журнал?
4. Андрей спрашивает, купил ли ты новый учебник?
5. Джон спрашивает, выступишь ли ты на конференции?
6. Оля спрашивает, придёшь ли ты к ним в субботу?

VIII. а) Прочитайте диалог.

Джон: Добрый день, Таня!

Таня: Привет, Джон! Давно не видела тебя, где ты был?

Джон: Всю неделю был в Петербурге. Там учатся мои друзья, они пригласили меня.

Таня: Ты в первый раз был в Петербурге?

Джон: Да, город мне очень понравился.

Таня: Где ты успел побывать?

Джон: Труднее сказать, где я не был. Был, конечно, в Эрмитаже, в Русском музее, в музее-квартире Пушкина, в оперном театре. В Эрмитаже был два раза, в Русском музее только один раз. Надеюсь, ещё смогу побывать в Петербурге. А ты давно там была?

Таня: Последний раз два года назад. Хочу ещё поехать. У меня там тоже друзья.

Джон: Может быть, сможем поехать вместе.

Таня: Это было бы неплохо. Мои друзья были бы для нас хорошими гидами.

б) Трансформируйте диалог в монолог, рассказав его:

1) от лица Джона.

Образец: Я встретил Таню, она сказала, что давно не видела меня, и спросила меня, где я был …

2) от лица Тани.

Образец: Я встретила Джона, которого давно не видела и спросила его, где он был …

IX. Расскажите о вашем городе.

1. Находится ли ваш город на берегу реки, моря, озера? 2. Сколько лет вашему городу? 3. Какие памятники культуры есть в вашем городе? 4. Какие музеи и театры? 5. Где любят отдыхать жители вашего города? 6. Какие известные люди жили в вашем городе? 7. Что бы вы посоветовали посмотреть гостям вашего города? 8. Где бы вы посоветовали им побывать?

X. Употребите полное или краткое причастие в правильной форме.

Образец: В 1918 году члены императорской фамилии были привезены в город Алапаевск.
Привезённые в город Алапаевск члены императорской семьи жили в здании школы.

1. Троицкий монастырь, ... Сергием Радонежским, стал центром духовной культуры. Андроников монастырь ... учеником Сергия Радонежского.	основанный основан
2. Построенный в XIX веке храм Христа Спасителя был ... в 1931 году. ... храм решили восстановить.	разрушенный разрушен
3. Храм был ... к юбилею Москвы. ... храм построили на том же месте, где он стоял прежде.	восстановленный восстановлен
4. Московский университет ... по проекту Ломоносова. Университет, ... по проекту Ломоносова, носит его имя.	построенный построен
5. Я слушал песни о Москве, ... на кассету. На этой кассете ... песни о Москве.	записанные записан
6. Московский генерал-губернатор был ... террористом Каляевым. Генерал-губернатор, ... террористом, был мужем великой княгини Елизаветы Фёдоровны.	убитый убит

XI. Дополните ряды однокоренных слов. Составьте с этими словами предложения.

Образец: **переводить, перевести, перевод, переводчик, переводчица.**

1. восстанавливать, восстановление, ...
2. встречать, встреча, встреченный, ...
3. защищать, защита, ...
4. отказываться, отказ, ...
5. петь, пение, ...
6. побеждать, победа, ...
7. помогать, помощь, ...
8. посещать, посещение, ...
9. праздновать, праздник, ...
10. приглашать, приглашение, ...
11. просить, просьба, ...
12. спасать, спасение, ...
13. разрушать, разрушение, ...
14. удивлять, удивление, ...

XII. Прочитайте текст, употребите глаголы **ехать — ездить, идти** в правильной форме с нужной приставкой.

Вчера ко мне ... сестра из Петербурга. Утром я ... на вокзал, чтобы встретить её. Домой мы ... в 11 часов. Дома я спросил сестру, что она хотела бы посмотреть в Москве. Сестра ответила, что днём хорошо бы ... в центр, посмотреть город, а вечером ... в театр.

Я спросил, в какой театр она хочет ... . Сестра ответила: « ... в Театр на Таганке». Когда этот театр ... в Петербург, она посмотрела спектакль «Мастер и Маргарита».

Я позвонил в театр и узнал, что вечером идёт спектакль «Братья Карамазовы». Сестра была рада, она хотела посмотреть этот спектакль.

Времени для выполнения всей программы у нас было немного, и мы ... из дома в 12 часов. До центра мы ... на автобусе. Погуляли по центру и в 4 часа уже ... домой, чтобы пообедать и ... в театр.

Для самостоятельного чтения

Вам знакомы эти слова?

Уточните их значение по словарю и переведите на родной язык.

княги́ня
князь *м*
захоро́нен
оста́нки *мн*
траги́чный
императри́ца
ге́рцог
воспи́тывать | воспита́ть *кого?*
сре́дства *мн*
бе́дный
посеща́ть | посети́ть *кого? что?*
ка́чество
восхища́ть *несов кого?*
совреме́нник
ре́дкий
красота́
ум
императо́р
генера́л-губерна́тор
санита́рный
вдова́
сирота́
ве́рующий = ве́рящий в Бо́га
проща́ть | прости́ть *кого?*
уби́йца
поми́ловать *сов кого?*
нужда́ться *несов в чём?*
настоя́тельница
безвозме́здно
расшире́ние *чего?*

му́дрый
го́ре
спаса́ть | спасти́ *кого? что?*
посо́л
пыта́ться *несов что сделать?*
категори́чески
отка́зываться | отказа́ться *что сделать?*
рудни́к
ша́хта
пала́ч
хорони́ть | похорони́ть *кого?*
по-христиа́нски

***

вели́кая княги́ня
вели́кий князь
благоро́дное се́рдце
вы́йти за́муж *за кого?*
приня́ть правосла́вную ве́ру
благотвори́тельная де́ятельность
учё́бное заведе́ние
посвяти́ть жизнь *кому? чему?*
оби́тель милосе́рдия
сестра́ милосе́рдия
полево́й го́спиталь
де́ятельное добро́
во́ля Госпо́дня
святы́е оста́нки
после́дняя во́ля
причи́слить кого́-либо к ли́ку святы́х

Великая княгиня Елизавета Фёдоровна

Самое великое, самое божественное
в человеке — милосердие
и прощение.
А. Дюма-сын

В Иерусалиме в склепе русской церкви святой Марии Магдалины захоронены останки великой княгини Елизаветы Фёдоровны. Трагична история жизни этой замечательной женщины.

Елизавета Фёдоровна, старшая сестра последней русской императрицы Александры Фёдоровны, родилась в 1864 году в Германии в семье великих герцогов Гессенских. Родители Елизаветы Фёдоровны воспитывали в детях любовь к людям, тратили большие средства на помощь бедным. Дети посещали больницы, помогали больным.

Прекрасные человеческие качества Елизаветы Фёдоровны, которые так восхищали современников, воспитывались в ней с детства. Все, кто знал Елизавету Фёдоровну, говорили о её редкой красоте, замечательном уме, добром и благородном сердце.

Елизавета Фёдоровна вышла замуж за великого князя Сергея Александровича, родного дядю последнего русского императора Николая II. Она приняла православную веру.

В 1891 году Сергей Александрович стал московским генерал-губернатором. И в Петербурге, и в Москве Елизавета Фёдоровна занималась благотворительной деятельностью. Она помогала церкви, различным учебным заведениям, больницам. Во время Русско-японской войны она на свои средства организовала несколько санитарных поездов, работала в госпиталях, помогала вдовам и сиротам, чьи мужья и отцы погибли на войне.

В 1905 году муж Елизаветы Фёдоровны московский генерал-губернатор был убит террористом Каляевым. Елизавета Фёдоровна, человек глубоко верующий, не только простила убийцу мужа, но и просила царя помиловать его.

После гибели мужа Елизавета Фёдоровна решила посвятить свою жизнь Богу и тем, кто нуждается в помощи. На свои средства она основала в Москве Марфо-Мариинскую обитель милосердия. На территории обители был храм, больница, аптека, приют для девочек, библиотека, столовая, общежитие для сестёр милосердия. Елизавета Фёдоровна, которая стала настоятельницей обители, всегда выполняла самую трудную работу. Она ухаживала за тяжёлыми больными, ассистировала на операциях, посещала бедные семьи, чтобы помочь им.

В обители безвозмездно работали лучшие врачи города. Сёстры милосердия ухаживали за больными и стариками. В 1914 году в обители было уже 97 сестёр.

У Елизаветы Фёдоровны были серьёзные планы по расширению благотворительной деятельности, но эти планы она не смогла выполнить. Началась Первая мировая война. Часть сестёр стала работать в полевых госпиталях, другие работали в госпитале в Москве. Но обитель и в это трудное время продолжала помогать всем, кому эта помощь была нужна. Елизавета Фёдоровна, всегда работавшая очень много, давно забыла об отдыхе, спала она не более трёх часов в сутки. Непонятно было, откуда у этой уже немолодой женщины столько сил и энергии, столько деятельного добра и любви. Ей принадлежат мудрые слова о том, что разделить с людьми своё горе — это его уменьшить, а разделить с ними свою радость — это её увеличить.

Революция 1917 года нарушила жизнь обители. Добрые дела не спасли великую княгиню. Весной 1918 года Елизавету Фёдоровну арестовали. Ещё до её ареста германский посол попытался встретиться с Елизаветой Фёдоровной, чтобы передать ей приглашение в Германию. Елизавета Фёдоровна категорически отказалась уехать из России, которую считала своей родной страной. Она сказала, что никому не сделала ничего плохого. И пусть на всё будет воля Господня.

В мае 1918 года Елизавету Фёдоровну и других членов императорской фамилии привезли в уральский город Алапаевск.

Почти два месяца прожили они в здании школы на краю города. Князья и великая княгиня жили в большой дружбе. Все вместе они убирали территорию школы, работали в огороде, сажали цветы. Для вечерней молитвы все собирались в комнате Елизаветы

Фёдоровны. Молитвы читал или князь Иоанн Константинович, или Елизавета Фёдоровна. Все они понимали, что жить им осталось недолго!

И вот 17 июля им объявили, что их повезут в другое место, недалеко от Алапаевска. В ночь на 18 июля их вывезли из Алапаевска. В 18 километрах от Алапаевска находился старый рудник. В одну из глубоких шахт рудника палачи бросили несчастных людей.

Когда нашли тела погибших, святые останки Елизаветы Фёдоровны отец Серафим повёз в Иерусалим. Путь его был долгим и трудным, но он исполнил последнюю волю великой княгини: «Если я погибну, прошу похоронить меня по-христиански».

Русская православная церковь причислила великую княгиню Елизавету к лику святых. Восстанавливается Марфо-Мариинская обитель.

В 1990 году на территории обители был открыт памятник этой удивительной женщине. Автор памятника известный русский скульптор Вячеслав Клыков.

Так великая княгиня Елизавета Фёдоровна вернулась в свою обитель.

Задание к тексту

1. Расскажите, что вы узнали о великой княгине Елизавете Фёдоровне?
2. Каким человеком была Елизавета Фёдоровна?
3. Что вы можете рассказать о её благотворительной деятельности?
4. В каком году на территории Марфо-Мариинской обители был открыт памятник Елизавете Фёдоровне? Кто автор памятника?
5. Прочитайте афоризмы о добре (о доброте). Помогут ли они понять характер великой княгини?

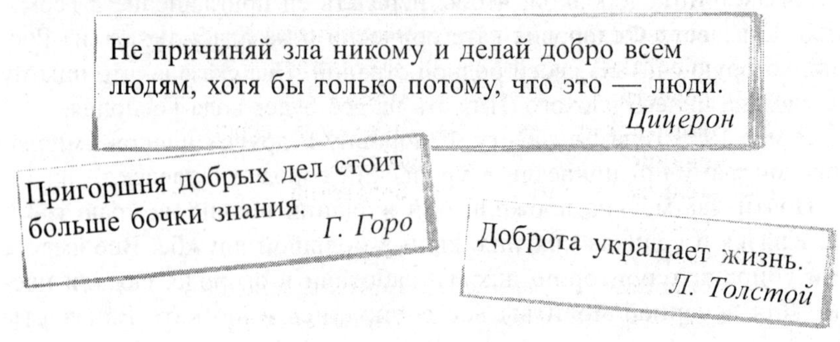

УРОК 14

Памятник Пушкину, г. Москва

Читаем тексты

Вам знакомы эти слова?
Уточните их значение по словарю и переведите на родной язык.

э́хо
волшебство́
обрета́ть | *что?*
обрести́ | *что?*
насле́дство
сия́ние
тень *ж*
святы́ня
село́
ссы́лка
включа́ть в себя́

моги́ла
объединя́ть | *кого? что?*
объедини́ть | *кого? что?*
ска́зка
па́ртия (в опе́ре)
то́тчас
бога́тство
си́ла
ги́бкость *ж*
торже́ственно
откры́тие *чего?*

речь *ж*
награ́да
поко́рный
расцве́т
нерукотво́рный
изда́ние

***

неподку́пный го́лос
родово́е име́ние
госуда́рственный запове́дник
осеня́ет мысль
производи́ть впечатле́ние | *на кого?*
произвести́ впечатле́ние | *на кого?*
лавро́вый вено́к
подно́жие па́мятника
не пришло́сь бы иска́ть

200 лет со дня рождения Александра Сергеевича Пушкина

И неподкупный голос мой
Был эхо русского народа.
А.С. Пушкин

В 1999 году исполнилось 200 лет со дня рождения великого русского поэта Александра Сергеевича Пушкина.

По-русски говорим мы с детства,
Но волшебство знакомых слов
Мы обретаем как наследство
В сияньи пушкинских стихов.
Поэт не стал далёкой тенью,
Святыней, отданной в музей.
Он шумно празднует рожденье
Среди бесчисленных друзей.

Так писал о Пушкине наш современник — поэт С.Я. Маршак.

День рождения Пушкина 6 июня (26 мая по старому стилю) всегда отмечается по всей России. Особенно широко отмечается Пушкинский праздник в селе Михайловском — родовом имении Пушкиных, где Пушкин бывал неоднократно. А два года (с 1824 по 1826 год) Пушкин прожил здесь в ссылке.

Сейчас село Михайловское — Государственный пушкинский заповедник, который включает в себя ещё несколько сёл и Святогорский монастырь, где находится могила Пушкина.

6 июня по традиции к памятнику Пушкину в центр Москвы приходят люди с цветами. До поздней ночи продолжается здесь Пушкинский праздник поэзии.

Поэты, писатели, студенты, люди самых разных профессий и национальностей читают здесь стихи Пушкина и стихи о Пушкине, исполняют песни и романсы на его стихи. Любовь к Пушкину объединяет их всех.

Когда-то современник Пушкина поэт Ф.И. Тютчев писал о нём:

Тебя ж, как первую любовь,
России сердце не забудет!..

«Солнце русской поэзии» (как называли его современники) Пушкин, прожив короткую жизнь, оставил нам огромное наследство: стихи, поэмы, повести и рассказы, драмы, в их числе поэма «Руслан и Людмила», роман в стихах «Евгений Онегин», повести «Капитанская дочка» и «Пиковая дама», трагедия «Борис Годунов», прекрасные детские сказки.

Лучшие композиторы России писали романсы на его стихи, создавали оперы и музыкальные драмы на пушкинские сюжеты. Пётр Ильич Чайковский[1] написал оперы «Евгений Онегин» и «Пиковая дама», Михаил Иванович Глинка[2] — оперу «Руслан и Людмила», Модест Петрович Мусоргский[3] — музыкальную драму «Борис Годунов». Лучшим исполнителем партии Бориса стал знаменитый русский бас Фёдор Шаляпин.

Действительно, как сказал поэт Аполлон Григорьев: «Пушкин — наше всё».

«При имени Пушкина тотчас осеняет мысль о русском национальном поэте… В нём заключилось всё богатство, сила и гибкость нашего языка… В нём русская природа, русская душа, русский характер…» — писал о Пушкине Николай Васильевич Гоголь[4].

Профессор Бристольского университета Э. Бригс писал: «Русский следует изучать хотя бы только для того, чтобы прочитать Пушкина…»

---

[1] **Чайковский Пётр Ильич** (1840 – 1893) — знаменитый русский композитор, автор симфонической, фортепьянной музыки. Автор музыкальных произведений: опер «Евгений Онегин», «Пиковая дама» и др. Автор музыки к балетам «Лебединое озеро», «Спящая красавица» и др. Автор многих романсов на стихи русских поэтов.

[2] **Глинка Михаил Иванович** (1804 – 1857) — известный русский композитор, автор симфонической и инструментальной музыки. Автор оперы «Руслан и Людмила» и «Жизнь за царя», автор многочисленных романсов.

[3] **Мусоргский Модест Петрович** (1839 – 1881) — известный русский композитор, автор музыки народных драм «Борис Годунов», «Хованщина».

[4] **Гоголь Николай Васильевич** (1809 – 1852) — знаменитый русский писатель, автор рассказов, повестей, поэмы-романа «Мёртвые души», комедии «Ревизор».

Ф.М. Достоевский

В 1880 году в Москве был торжественно открыт памятник Пушкину. Создатель памятника замечательный русский скульптор Александр Михайлович Опекушин.

В числе выступавших на открытии памятника были известные русские писатели — Иван Сергеевич Тургенев и Фёдор Михайлович Достоевский. За свою речь, которая произвела на всех огромное впечатление, Достоевский получил награду — Лавровый венок. Этот венок писатель положил к подножию памятника Пушкину.

> Сто лет прошло. Судьбе своей покорный,
> Ушёл поэт в расцвете лучших сил…
> Но Памятник стоит нерукотворный
> Победой вечною над холодом могил.

Так писала поэт Елена Милич в 1937 году — в год столетия со дня трагической гибели Пушкина.

Эта дата была отмечена в 42 государствах Европы, Азии, Африки, Америки и Австралии. 231 город этих стран отметил пушкинскую дату изданием его книг и книг о нём, пушкинскими вечерами с участием известных поэтов, писателей, актёров, учёных-филологов.

Мы помним и светлую дату рождения поэта, и год его гибели, но для нас Пушкин всегда остаётся нашим современником. Не случайно одна из книг о Пушкине называлась «Живой Пушкин».

Как сказал о Пушкине один из наших современников: « …Пушкин остаётся первым и вечным учителем всякого говорящего и пишущего на русском языке». А известный русский учёный академик Дмитрий Иванович Лихачёв писал: «…если бы пришлось определить день праздника русской культуры, то лучшего дня, чем день рождения Пушкина, и искать бы не пришлось».

Задание к тексту

1. Что вы знали о Пушкине раньше? Что узнали из прочитанного текста?

2. Читали ли вы какие-нибудь произведения Пушкина? Если читали, то на каком языке?

3. Слышали ли вы романсы на стихи Пушкина, слушали ли оперы на его сюжеты?

4. Прочитайте отрывки из стихотворений, посвящённых Пушкину.

Пушкин

Есть имена, как солнце! Имена —
Как музыка! Как яблоня в расцвете!
Я говорю о Пушкине — поэте,
Действительном в любые времена.

Игорь Северянин

А.С. Пушкин

А.С. Пушкину

<…> И всех людей объединив… ,
Его огромный гордый гений
В сердцах людских навеки жив.

З. Троицкая

Смерть Пушкина

Гений Пушкина жив и поныне,
Как целитель, врачующий нас,
Как источник в безводной пустыне.

Евгений Шкляр

Голос России

<…> И только здесь, под небом синим,
Над этой ширью голубой,
Ему быть голосом России
Назначено самой судьбой <…>

Пётр Нефёдов

Обобщение некоторых грамматических тем

Употребление слова *который*.

Это врач,

кто?
который работает в нашей больнице.
у кого?
у которого я был вчера.
кому?
которому я звонил.
кого?
которого ты знаешь.
с кем?
с которым я знаком.
о ком?
о котором ты спрашивал.

Это девушка,

кто?
которая работает в нашей больнице.
у кого?
у которой я был вчера.
кому?
которой я звонил.
кого?
которую ты знаешь.
с кем?
с которой я знаком.
о ком?
о которой ты спрашивал.

Здесь живёт врач,
Я был у врача,
Я звонил врачу,
Ты знаешь врача,
Я знаком с врачом,
Ты спрашивал о враче,

который работает в нашей больнице.

Род и число слова **который** зависит от существительного, которое оно определяет: **врач, который … , девушка, которая … , студенты, которые …** . Падеж слова **который** зависит от его позиции в придаточном предложении. Слово **который** изменяется, как прилагательное **новый**.

Это девушки,

кто?
которые работают в лаборатории.
у кого?
у которых мы были вчера.
кому?
которым я звонил.
кого?
которых ты знаешь.
с кем?
с которыми я знаком.
о ком?
о которых ты спрашивал.

Употребление местоимений *свой, его, её.*

Это сумка Андрея. Андрей взял **свою** сумку.
Нина взяла **его (не свою)** сумку.
Это блокнот Ани. Аня взяла **свой** блокнот.
Андрей взял **её (не свой)** блокнот.

Местоимение **свой** определяет объект, который принадлежит субъекту действия.

Это **моя** книга. Я взял **свою (мою)** книгу. (Книга принадлежит мне.)
Это **твоя** книга. Ты взял **свою (твою)** книгу. (Книга принадлежит тебе.)
Это книга Андрея. Андрей взял **свою** книгу. (Книга принадлежит Андрею.)
Олег взял **его (не свою)** книгу. (Книга принадлежит не ему, а Андрею.)

Как правило, местоимение **свой** не употребляется в именительном падеже, т.е. оно не может определять подлежащее.

Нина встречает **свою** сестру. **Её** сестра живёт в Саратове.

Есть некоторые исключения: **своя рубашка ближе к телу** (русская пословица).

Местоимение **свой** не употребляется в безличных предложениях.

Это моя комната. В **моей** комнате всегда тепло.
Это комната Андрея. В **его** комнате стоит телевизор.

Сравните: Я вошёл **в свою** комнату.
Андрей был в **своей** комнате.

Местоимение **свой** изменяется, как местоимение **твой (свою, своего, своей, своему и т.д.)**

Местоимение *себя*.

Местоимение **себя** не употребляется в именительном падеже и изменяется, как местоимение **тебя**.

Именительный п.	—	—
Родительный п.	**себя**	Мама была **у себя** в комнате.
Дательный п.	**себе**	Оля пригласила нас **к себе**.
Винительный п.	**себя**	Как вы **себя** чувствуете?
Творительный п.	**собой**	Отец взял **с собой** сына.
Предложный п.	**о себе**	Он долго рассказывал **о себе**.

Некоторые выражения с местоимением *себя*.

Взять **себя** в руки.
Выйти из **себя**.
Уметь (не уметь) вести **себя**.
Читать **про себя**.
Дать **себе** слово.
Сам **по себе**.
Быть самим **собой**.
Не думать **о себе**.

Повелительное наклонение

Купи(те) этот учебник. **Пусть** Нина **купит**, она идёт в магазин.
Пошли(те) маме телеграмму. **Пусть** Олег **пошлёт,** он идёт на почту.

Повелительное наклонение 3-го лица образуется со словами **пусть + глагол** в третьем лице.

Пусть он **возьмёт** этот журнал.
Пусть они **сходят** на эту выставку.

Упражнения

I. Прочитайте текст, употребите глагол нужного вида.

Впервые Пушкин (видел — увидел) Наталью Гончарову в 1828 году. В письме к другу он писал, что сразу (любил — полюбил) её.

В дом Гончаровых Пушкина (приводил — привёл) его друг, так Пушкин познакомился с семьёй Наташи. Пушкин, поняв, что чувства его серьёзны, (делал — сделал) Наташе предложение. Но мать Наташи не дала согласия на брак, сказав, что дочь её ещё молода.

Через два года Пушкин (повторял — повторил) своё предложение. На этот раз мать Наташи (давала — дала) согласие на брак своей дочери. Пушкин был счастлив, о чём сразу (писал — написал) своему другу. После свадьбы поэт (привозил — привёз) юную жену в квартиру на Арбате. Здесь они (жили — прожили) несколько счастливых месяцев. А через несколько месяцев они (переезжали — переехали) в Петербург.

II. Прочитайте и перепишите текст, употребив слово **который** в правильной форме, там, где нужно, с соответствующим предлогом.

В 1999 году торжественно отмечали 200 лет со дня рождения Пушкина, имя … стало символом России.

Трудно найти читателя, а тем более поэта или писателя, … не знал бы Пушкина.

Много посетителей бывает в Москве на Арбате в Доме-квартире Пушкина, … счастливый Пушкин привёз свою молодую жену. Не меньше людей посещает в Петербурге Музей-квартиру Пушкина, … Пушкин провёл последние годы жизни.

Дни рождения Пушкина широко отмечаются по всей России. Много туристов приезжает в село Михайловское — родовое имение Пушкиных, … Пушкин бывал неоднократно и жил подолгу.

В городах, … жил или … посещал Пушкин, установлены памятники поэту. Память о нём живёт в душе народа.

III. Закончите фразы. Для правильного завершения фраз обратитесь к тексту о Пушкине.

1. Шестого июня по всей России отмечают …
2. Памятник Пушкину в центре Москвы создан …
3. На открытии памятника выступили …

4. За свою речь на открытии памятника Пушкину писатель Достоевский получил ...
5. Лучшие композиторы России писали ...
6. Лучшим исполнителем партии Бориса в опере «Борис Годунов» был ...
7. Современники называли Пушкина ...
8. Столетие со дня гибели Пушкина отметили ...

IV. Прочитайте текст, обратите внимание на употребление местоимений **свой — его**.

После трагической гибели Пушкина многие современники обвиняли в смерти Пушкина **его** жену Наталью Николаевну. Да и позднее поэты, литераторы, писавшие о Пушкине, высказывали **своё** негативное отношение к **его** жене.

Только в последнее время стали появляться доброжелательные публикации о Наталье Пушкиной.

Но, конечно, главным защитником **своей** жены был сам поэт, глубоко любивший **свою** жену и веривший ей. В **своих** письмах к жене Пушкин называл её «ангел мой». Наталья Николаевна была для Пушкина **его** ангелом, **его** мадонной.

V. Дополните предложения местоимениями **свой** или **его** в нужной форме.

Брат Алексея живёт в Новосибирске. Алексей часто рассказывал мне о ... брате. Он говорит, что ... брат учился в Москве. Окончив институт, он уехал в Новосибирск. Новосибирск очень нравится ... брату.

Алексей часто пишет и иногда звонит ... брату. Летом Алексей хочет поехать к нему. А осенью ... брат приедет в Москву. Алексей обещал познакомить меня со ... братом.

VI. Дополните предложения местоимениями **свой** или **её** в нужной форме.

Таня подруга Оли. Таня любит ... подругу. Они вместе учились в школе. Сейчас Таня продолжает учиться, а ... подруга работает. Лето Таня всегда проводит со ... подругой. Таня любит рассказывать о ... подруге, говорит, что ... подруга хорошо поёт, пишет стихи и иногда пишет музыку к ... стихам. Таня гордится талантом ... подруги.

VII. а) Прочитайте предложения, обратите внимание на употребление местоимения **себя**.

1. Тётя пригласила меня **к себе** на Рождество.
2. Весь вечер я был **у себя**, ждал твоего звонка.
3. Однажды отец взял меня **с собой** на охоту.
4. Побывав на русском севере, он дал **себе** слово побывать там ещё раз.
5. — Андрей, не волнуйся так, возьми **себя** в руки.
6. Она не привыкла думать **о себе** и никогда не жалела себя.
7. На день рождения я пригласил **к себе** своих друзей.
8. Последний раз посмотрев **на себя** в зеркало, она решительно вышла из комнаты.

б) Дополните предложения местоимением **себя** в нужной форме.

1. Он много путешествовал и интересно рассказывал **о ...** .
2. Чтобы лучше запомнить, я читал стихи **про ...** .
3. Больной наконец пришёл **в ...** .
4. Чудесный доктор всего **...** отдавал людям.
5. Тётя часто приглашает нас **к ...** в деревню.
6. Друг взял меня **с ...** в экспедицию.
7. Это не так легко быть всегда самим **...** .
8. Напиши мне **о ...** , как живёшь, как работаешь.
9. Я купил несколько сувениров для сестры и брата и один **для ...** .

VIII. Подберите к данным существительным соответствующие существительные женского рода.

Образец: танцовщик — танцовщица
учитель — учительница

Писатель, читатель, певец, артист, актёр, пианист, художник, гимнаст, фигурист, баскетболист, продавец, буфетчик, красавец.

IX. Подберите прилагательные к данным существительным.

Образец: картофель — жареный картофель

Бандероль, боль, бюро, власть, дуэль, жизнь, какао, кофе, кафе, кино, купе, мебель, метро, молодёжь, мысль, мышь, очки, пальто, пианино, путь, радио, роль, такси, фестиваль, фойе, цель, часы.

X. Составьте предложения с данными ниже глаголами.

1. учить, учиться, изучать, заниматься
2. мочь, уметь, знать
3. видеть, смотреть
4. слышать — слушать
5. спрашивать (спросить) — просить (попросить)

XI. Составьте предложение по образцу, используя данные ниже глаголы.

а) Образец: Купи(те) эту книгу!
б) Образец: Пусть Нина купит эту книгу!
в) Образец: Давай купим эту книгу!

Взять, написать, прочитать, перевести, посмотреть, послать, позвонить, пригласить, подарить, помочь, решить и т.д.

XII. Расскажите о любимом поэте или писателе.

а) Используйте нужные для вашего рассказа слова.

Писатель, драматург, поэт, поэзия, поэма, стихи, рассказ, повесть, роман, драма, сборник стихов, сборник рассказов, талант, талантливый, опубликовать, переводить — перевести (с какого языка на какой), известный, любимый.

б) Используйте те из афоризмов, которые помогут вам лучше выразить ваши мысли.

1. «Настоящий писатель — это то же, что древний пророк: он видит яснее, чем обычные люди».
А. Чехов
2. «Мысль может обходиться без поэзии, но поэзия без мысли невозможна».
А. Яковлев
3. «Стихи — совершеннейший из способов пользоваться человеческим словом».
В. Брюсов
4. «Высшая задача Таланта — своим произведением дать людям понять смысл и цену жизни».
В. Ключевский
5. «Книга — это духовное завещание одного поколения другому ...».
А. Герцен

Для самостоятельного чтения

Вам знакомы эти слова?

Уточните их значение по словарю и переведите на родной язык.

помина́ть *несов кого?*
венча́ться *несов*
свеча́
соединя́ть | **соедини́ть** *кого? с чем?*
дожида́ться | **дожда́ться** *кого? чего?*
дуэ́ль *ж*
честь *ж*
поколе́ние
примири́ться *сов с кем? с чем?*
почита́ть *несов чего? кого?*
обвиня́ть | **обвини́ть** *кого? в чём?*
беспоща́дно
осужда́ть | **осуди́ть** *кого? что?*
бал
поража́ть | **порази́ть** *кого? чем?*
представля́ть | **предста́вить** *кого? что?*
брак
у́часть *ж*
сва́дьба
венча́ние
творе́ц
ниспосла́ть *сов кого? кому?*
содержа́ть *несов кого? что?*
выража́ть | **вы́разить** *что?*
удра́ть *сов откуда? куда?*
утеше́ние
разлу́ка
спле́тни *мн*
унижа́ть | **уни́зить** *кого?*
огорче́ние

вызыва́юще
посо́л
безусло́вно
намёк
непереноси́мо
терпе́ние
состоя́ться *сов*
жени́тьба
поведе́ние
пересу́ды *мн*
чу́ждый *кому? чему?*
неизбе́жный
вино́вен (вино́вна) | **невино́вен** (невино́вна) *в чём?*
страда́ние
предчу́вствовать *несов что?*
убежде́ние
ги́бель *ж*

***

из ро́да Гончаро́вых
(Пу́шкиных и т.д)
ве́чная па́мять
семе́йная жизнь
после́дующие поколе́ния
безвре́менная кончи́на
ceно́й жи́зни
возду́шное пла́тье
сде́лать предложе́ние кому́-либо
дава́ть | **дать** **согла́сие**
чисте́йшей пре́лести
чисте́йший о́браз
све́тские приёмы
несравне́нная красота́
соверше́ннейшее созда́ние
лучеза́рная красота́
кружи́ть го́лову

достове́рное свиде́тельство
вести́ себя́ *как?*
по отноше́нию *к кому?*
приёмный сын
анони́мное письмо́
после́дняя ка́пля
переполня́ть ча́шу
вы́звать кого́-либо на дуэ́ль
све́тское о́бщество

Наташа, ангел мой!

Третьего марта (восемнадцатого февраля по старому стилю) 1991 года в церкви Большого Вознесения в центре Москвы шла торжественная служба — поминали Александра Пушкина и Наталью Гончарову, которые венчались здесь ровно сто шестьдесят лет назад.

Со свечами в руках стояли два прежде незнакомых друг с другом человека: правнук поэта Григорий Григорьевич Пушкин и Игорь Глебович Гончаров из рода Гончаровых. Здесь, в этом храме, на торжественной службе они встретились впервые.

Все, пришедшие на эту службу, с волнением слушали слова молитвы о вечной памяти и великой любви, соединившей Александра Пушкина и Наталью Гончарову.

В центре Москвы, на Арбате, открыт музей, который называется «Квартира Пушкина на Арбате». Сюда в 1831 году привёз Пушкин свою молодую жену Наталью Николаевну. В этом доме прожил Пушкин первые и самые счастливые месяцы своей семейной жизни. Из этого дома Пушкин писал одному из друзей: «Я женат — и счастлив, одно желание моё, чтоб ничего в жизни моей не изменилось — лучшего не дождусь».

«Солнце русской поэзии» Пушкин трагически погиб на дуэли, защищая честь семьи и доброе имя любимой женщины — своей жены Натальи Николаевны. Россия потеряла Пушкина. «Я плачу с Россией, плачу с друзьями его... Бедная Россия!» — написал в эти трагические дни сын историка Николая Михайловича Карамзина.

Не только современники Пушкина, но и люди последующих поколений не могли примириться с безвременной кончиной поэта. Многие друзья Пушкина, почитатели его таланта именно Наталью Николаевну обвинили в его гибели. Жестоко и беспощадно осуждали её. А того, кто всегда готов был защитить её даже ценой своей жизни, уже не было рядом с ней. И всё-таки он сумел защитить её: об этом говорят его письма к жене и друзьям. Тот, кто внимательно прочитает эти письма, многое поймёт в истории последней и самой сильной любви великого поэта.

Впервые Пушкин увидел Наталью Гончарову на одном из московских балов в 1828 году. Наташе было тогда 16 лет. В белом воздушном платье, высокая, тоненькая, она в первый вечер их знакомства поразила Пушкина удивительной красотой. С этого вечера прекраснее её для Пушкина никого уже не было. Позднее Пушкин писал: «Когда я увидел её в первый раз, красоту её едва начинали замечать... Я полюбил её, голова у меня закружилась».

В доме Гончаровых Пушкин появился не сразу. «Первый раз в жизни я был робок», — вспоминал он. Друг Пушкина и старый знакомый семьи Гончаровых представил его Наталье Ивановне, матери Наташи. И началась борьба Пушкина за своё счастье. Предложение, которое он сделал Наташе, не приняли. Мать Наташи не дала согласия. Через два года Пушкин сделал второе предложение. На этот раз мать Наташи дала своё согласие. «Участь моя решена, — писал Пушкин. — Я женюсь. Та, которую любил я целые два года... — боже мой — она... почти моя. Ожидание решительного ответа было самым болезненным чувством жизни моей».

Наступил наконец день свадьбы, 18 февраля 1831 года — венчание в церкви Большого Вознесения.

Пушкин был счастлив:

> Исполнились мои желания. Творец
> Тебя мне ниспослал, тебя, моя Мадонна,
> Чистейшей прелести чистейший образец.

Прожив первые самые счастливые месяцы в Москве на Арбате, Пушкины переезжают в Петербург.

Осенью 1831 года Пушкин с молодой женой стали появляться на светских приёмах и балах. Неповторимая красота Наталии Николаевны сразу была замечена. О ней заговорили, как о первой красавице Петербурга. «Самой красивой вчера была … Пушкина, которую мы прозвали поэтической… из-за её небесной и несравненной красоты», — писала одна из современниц Пушкина.

Наталью Николаевну называли «совершеннейшим созданием творца». Поэтической красотой её можно было любоваться часами.

Один из современников писал, что не было в Петербурге юноши, который бы тайно не был влюблён в Пушкину, «…её лучезарная красота всем кружила головы».

Однако жизнь Пушкиных в Петербурге не была лёгкой. Не хватало средств, чтобы содержать дом, жену, детей. За шесть лет семейной жизни Наталья Николаевна родила четверых детей: двух дочерей и двух сыновей.

Пушкину часто приходилось по делам уезжать из Петербурга, но из каждой своей поездки Пушкин почти ежедневно писал жене. «Душа моя, жёнка моя, ангел мой», — называл Пушкин свою жену.

«Тебя, мой ангел, люблю так, что выразить не могу, с тех пор, как я здесь, я только и думаю, как бы удрать в Петербург к тебе, жёнка моя».

«Конечно, друг мой, кроме тебя в жизни моей утешенья нет — и жить с тобой в разлуке так же глупо, как и тяжело».

Письма Пушкина к жене — самое достоверное свидетельство его любви.

А между тем жизнь в Петербурге становилась для Пушкина всё труднее. Красота его жены рождала множество сплетен. Недруги поэта использовали эти сплетни, чтобы унизить его.

К радости недругов и огорчению друзей Пушкина, вызывающе вёл себя по отношению к Наталье Николаевне молодой француз Жорж Дантес, приёмный сын голландского посла Геккерна. Пушкин безусловно доверял своей жене, но слышать намёки, задевавшие её честь, было для него непереносимо.

В ноябре 1836 года Пушкин и несколько его друзей получили анонимные письма с грязными намёками на отношения Дантеса и Натали Пушкиной. Это было последней каплей, переполнившей чашу терпения. Пушкин вызвал Дантеса на дуэль. Однако дуэль на этот раз не состоялась. К удивлению всех, знавших отношение Дантеса к Натали Пушкиной, он вдруг сделал предложение её старшей сестре Екатерине. Поначалу никто этому не поверил, но свадьба всё-таки состоялась.

Женитьба ничего не изменила. Поведение Дантеса по отношению к Наталье Николаевне осталось прежним, а количество сплетен и пересудов даже удвоилось. И дело было не в Дантесе. Светское общество не принимало Пушкина. Светлый гений поэта был чужд этому обществу. Поведение Дантеса использовали, чтобы унизить и наказать Пушкина за то, что он не такой, как все. В этом обществе Пушкину не было места. Дуэль становилась неизбежной. И она состоялась.

На дуэли Пушкин был смертельно ранен. Умирающий Пушкин, как мог, старался успокоить жену, повторяя, что она невиновна в том, что случилось: «Будь спокойна, ты невинна в этом». Не хотел, чтобы жена видела его страдания. Его волновала судьба жены. Пушкин предчувствовал, что Наталью Николаевну будут считать виновной в его смерти. Так и случилось. Лишь немногие из его друзей защищали её. Пётр Вяземский писал, что жена Пушкина невиновна «и что муж её жил и умер с этим убеждением, что любовь к ней не изменилась в нём ни на минуту».

Но даже близкий друг Пушкина, жена историка Карамзина писала сыну: «Больно сказать. Но это правда: великому и доброму Пушкину следовало иметь жену, способную лучше понять его…»

Однако задолго до своей гибели, после трёх лет семейной жизни, Пушкин писал жене: «Милый мой ангел!.. Я должен был на тебе жениться, потому что всю жизнь был бы без тебя несчастлив…»

Да, в семейной жизни Пушкин был счастлив. И это счастье дала ему так нелюбимая многими почитателями поэта Наталья Николаевна, его «Мадонна», его «светлый ангел».

Задание к тексту

1. Какое событие произошло в церкви Большого Вознесения в Москве в 1831 году?

2. Какой музей открыт в центре Москвы на Арбате? Почему открыт этот музей?

3. Что вы можете рассказать о любви поэта к Наталье Николаевне Гончаровой?

4. Как погиб Александр Сергеевич Пушкин?

5. Что писали современники о гибели поэта?

6. Прочитайте стихотворение Пушкина «Мадонна», посвящённое его жене.

Мадонна

Не множеством картин старинных мастеров
Украсить я всегда желал свою обитель,
Чтоб суеверно им дивился посетитель,
Внимая важному сужденью знатоков.
В простом углу моём, средь медленных трудов,
Одной картины я желал быть вечно зритель,
Одной: чтоб на меня с холста, как с облаков,
Пречистая и наш божественный спаситель —
Она с величием, он с разумом в очах —
Взирали, кроткие, во славе и в лучах,
Одни, без ангелов, под пальмою Сиона.
Исполнились мои желания. Творец
Тебя мне ниспослал, тебя, моя Мадонна,
Чистейшей прелести чистейший образец.

Русский речевой этикет

Знакомство

— Здравствуйте!
— Добрый день!
— Добрый вечер!

— Разрешите представиться, Николай Николаевич Иванов из Петербурга.
— Очень приятно!
— Иван Александрович Иванов.
— Рад познакомиться.

— Позвольте представить вам ... моего коллегу ...
моих коллег/друзей
мою жену/моего мужа

— Разрешите (Я хочу) познакомить вас ...
с моим коллегой ...
с моими коллегами/друзьями, с моей женой/моим мужем

— Познакомьтесь, пожалуйста, [это] ...
господин (госпожа) ...
товарищ ...

— Я/Он (Она) ...
русский (русская)
француз (француженка)
англичанин (англичанка)

— Я [не] говорю ...
— Я немного понимаю ...
по-русски
по-английски
по-французски

— Я не понимаю …
— Он (Она) [не] говорит …
— Он (Она) немного понимает …
по-русски
по-английски
по-французски

— Познакомьтесь: мой сын/моя дочь.
— Его зовут Миша/Жан/Джон.
— Её зовут Аня/Жаклин/Энн.
— Простите, как его (её) зовут?
— Как зовут … ?
вашу жену/дочь
вашего мужа/сына

— Сколько лет вашей дочери/вашему сыну?
— Ей/Дочери 10/20 лет.
— Ему /Сыну 6/16 лет.

— Ваш сын/Ваша дочь учится/работает?
— Он школьник/студент.
— Она школьница/студентка.
— Он (она) уже работает.

— Какая у вас/у него профессия?
— Кто вы/он (она) по профессии?
— Я/Он (Она) врач/рабочий/преподаватель.
— Где вы работаете?
— Где он (она) работает?
— Я работаю …
— Он (Она) работает …
в больнице
на заводе
в институте
в школе

друг, *мн* **друзья́**
англича́нин (англича́нка)
това́рищ
руководи́тель *м*
граждани́н (гражда́нка)
гра́ждане
колле́га
делега́ция
член делега́ции
делега́т
шко́льник (шко́льница)
учени́к (учени́ца)
иностра́нец (иностра́нка)
студе́нт(ка)

францу́з (францу́женка)
гру́ппа (тури́стов)
член гру́ппы
господа́
госпожа́
господи́н
фами́лия
страна́
и́мя
о́тчество
представи́тель (делега́ции/фи́рмы)
ру́сский (ру́сская)
спортсме́н(ка)
тури́ст
иностра́нный (тури́ст)

Приветствие

— Здравствуйте!
— Доброе утро!
— Добрый день!
— Добрый вечер!

Выражения, сопутствующие приветствию

— (Очень) рад(а) вас видеть!
— (Как) хорошо, что мы встретились!
— Давно вас/тебя не видел(а)!
— Как поживаете?
— Как себя чувствуете?
— Как у вас дела?
— Спасибо, хорошо, а (как) вы? (а как у вас?)
— Ничего, спасибо.
— Неважно.
— Как доехали?
— Прекрасно.
— Спасибо, хорошо.

Дружески непринуждённый обмен приветствиями

— Привет!
— Какая [приятная] встреча!
— Как жизнь? (Как живёшь?)
— Как дела?
— Как здоровье?
— Отлично.
— Нормально.
— Так себе.
— Плохо.

— Что нового?
— Всё по-старому.
— Ничего особенного.
— Много чего, сразу не расскажешь

Прощание

— До свидания!
— Всего хорошего! (Всего доброго!)
— Прощайте!/ Прощай!
— Будьте здоровы!
— До скорой встречи!
— До завтра!
— До воскресенья!
— Спокойной ночи! (Доброй ночи!)

Выражения, сопутствующие прощанию

— Мы зашли попрощаться.
— Мы хотим/Я хочу попрощаться с вами.
— Спасибо за всё!
— Счастливого пути!
— Счастливо оставаться!
— Не забывайте нас!
— Пишите!
— Звоните!
— Приезжайте ещё!
— Заходите!
— Передайте привет ... !
вашему мужу
вашей жене
коллегам

Обращение, способы привлечения внимания

Формы обращения к незнакомым

— (Уважаемые) коллеги!
— Дорогие друзья!
— Товарищ(и)!

— (Уважаемые) дамы и господа!
— Молодой человек!
— Девушка!
— Простите, вы не скажете (вы не знаете) ... ?
— Извините, пожалуйста ...
— Будьте добры, скажите/дайте ...
— Простите, вы не могли бы сказать/передать ...
— Можно вас спросить/попросить ...
— Разрешите спросить/попросить ...
— Девочка/Мальчик, ты не знаешь ... ?

Возможные реакции на обращение

— Да, пожалуйста.
— Я вас слушаю.
— Что вы хотите?
— Извините, не понял(а).
— Вы меня? (Вы ко мне?)

Формы обращения к знакомым

— Господин Иванов!/Товарищ ...
— Госпожа Николаева!/Товарищ ...
— Антон Павлович!
— Нина Ивановна!
— Коля!
— Нина!

Просьба

— Прошу вас ...
— Я могу попросить вас помочь мне?
— Не могли бы вы объяснить мне это?
— У меня к вам просьба ...
— Будьте добры, ...
покажите ...
дайте ...
передайте ...
переведите ...
— Скажите/Покажите/Дайте, пожалуйста ...

— Повторите, пожалуйста.
— Остановитесь здесь.
— Подождите.
— Разрешите пройти.
— Можно войти?
— Я могу ... ?
  открыть окно
  включить радио
  позвонить
— Вы не возражаете, если я ... ?
  включу радио
  открою окно
  закурю

Дружеские непринуждённые формы просьбы

— Прошу тебя, не забудь ...
— Помоги мне, пожалуйста.
— Будь добр(а) ...
  передай мне ...
  покажи мне ...
  проводи меня ...
— Скажи/Дай/Покажи, пожалуйста, ...
— Я попрошу тебя сделать это.
— Будь другом, сделай это.
— Сделай одолжение ...

Приглашение

— Вы не хотите/Ты не хочешь пойти ... ?
— Пойдёмте/Пойдём ... ?
  на эту выставку
  в театр
  на концерт
— Вы не пойдёте/Ты не пойдёшь с нами?
— Я хочу (Мы хотим) пригласить вас/тебя к себе.
— Вы не придёте/Ты не придёшь к нам вечером/в субботу?
— Вы не могли бы зайти к нам?
— Приходите/Заходите к нам (в гости).

Поздравления, пожелания

— Поздравляю (Поздравляем) вас (тебя) … .

с праздником!

с наступающим праздником!

с Новым годом!

с днём рождения и т.д.

— С праздником вас (тебя)!

— С Новым годом!

— С днём рождения!

— Разрешите (позвольте) поздравить вас с праздником!

с днём рождения! и т.д.

— Я хочу (Мы хотим) поздравить вас с праздником и пожелать вам всего самого хорошего!

— Желаю (Желаем) вам (тебе) счастья, здоровья, успехов!

— Будьте счастливы, здоровы!

— Будь счастлив(а), здоров(а)!

Согласие, несогласие, неопределённый ответ, отказ

Возможные ответы на просьбу, приглашение

— Да, конечно.

— Конечно, сделаю/пойду.

— Да, пожалуйста.

— Сделаю/Пойду/Приду обязательно.

— С удовольствием (приду/придём)).

— Охотно (сделаю/приду).

— К сожалению, …

— Очень жаль, но …

— С удовольствием бы, но …

— Спасибо, но …

не могу/не смогу

я занят(а)

я очень спешу

у меня (у нас) нет времени

— К сожалению, я не могу/не смогу выполнить вашу/твою просьбу.

Неопределённый ответ на просьбу, приглашение

— Не знаю, смогу ли.
— Не знаю, сможем ли.
— Не уверен(а), что смогу.
— Может быть/Наверное, сделаю/пойду.
— Я постараюсь (мы постараемся) прийти/сделать это.
— Не обещаю, но постараюсь.
— Не обещаем, но постараемся.

Согласие, несогласие с мнением собеседника

(Да,) конечно.
Думаю (Мне кажется), да/нет.
Думаю (Мне кажется), это будет интересно.
Это очень интересно/хорошо.
(Я) не согласен (согласна) с вами/с тобой.
Мне кажется, это не так.
[Вы] ошибаетесь/[Ты] ошибаешься.

Благодарность

— Спасибо!
— Большое (вам) спасибо!
— Благодарю (Благодарим) вас!
— Я вам очень благодарен (благодарна).
— Мы вам очень благодарны (признательны)!
— Огромное спасибо!
— Спасибо (вам) за помощь!
— (Большое) спасибо ...
за внимание
за совет
за приглашение
за поздравление
за (тёплый) приём
за гостеприимство
— Спасибо (вам) за всё!
— (Большое) спасибо за всё, что вы сделали для нас/для меня!
— От всей души (от всего сердца) благодарю (благодарим) вас!
— Разрешите поблагодарить вас за всё!

Возможные ответы на благодарность

— Пожалуйста.
— Не стоит (благодарности).
— Не за что.

Извинение

Извините (Простите), пожалуйста.
Виноват(а).
Прошу прощения.
Извините (Простите) ...
за беспокойство/за опоздание.
, что задержал(а) вас.
, что не позвонил(а).
, что перебиваю вас.
, что перебил(а) вас.

Дружески непринуждённые формы извинения

Извини (Прости), Нина.
Прости меня, Коля.
Прости, я совсем не хотел(а) тебя обидеть.
Прости меня, я нечаянно.
Виноват(а), больше не буду.
Не сердись (Не сердитесь).

Возможные ответы на извинение

Пожалуйста.
Ничего.
Не стоит.
Не беспокойтесь!/Не беспокойся!
(Какие) пустяки!
Это мелочь!
Ну что вы!/Ну что ты!
Всё в порядке!

Сожаление, сочувствие

(Очень) жаль.
Мне (нам) очень жаль.

Жаль, что я не знал(а) (мы не знали) об этом.

Жаль, что ...

меня (нас) не было.

я не мог (могла) прийти.

мы не могли прийти.

я не попал(а) туда.

мы не пошли туда.

Жаль, что ...

вас не было с нами.

вы не пришли.

вы не смогли/не сможете прийти.

вы заболели.

Очень жаль (Как жаль), что так получилось.

Какая неприятность!

Вам/Тебе не повезло.

Очень вам сочувствую.

Сочувствую вам/тебе.

Общая часть
(синтаксические модели и речевые образцы)

1. Способы выражения наличия-отсутствия кого-либо, чего-либо

— У вас есть брат? — Да. (Да, есть.)
— Нет.

— У вас нет брата? — Есть.
— Нет.

У меня есть { брат. / сестра. / дети. }   У меня нет { брата. / сестры. / детей. }

У меня { был билет. / была программа. / было письмо. / были книги. }   У меня не было { билета. / программы. / письма. / книги. }

— Здесь есть телефон-автомат? — Да. (Да, есть.)
— Нет.

— Здесь нет телефона-автомата? — Есть.
— Нет.

{ здесь / там / наверху / внизу / слева / справа } есть (был, была) { телефон-автомат / магазин / киоск / почта / остановка трамвая / автобуса / троллейбуса / стоянка такси и т.д. }

здесь там наверху внизу слева справа	нет (не было)	телефона-автомата магазина киоска почты остановки трамвая автобуса троллейбуса стоянки такси и т.д.

— В гостинице есть почта? — Да. (Да, есть.)
— Нет.

— В гостинице нет почты? — Есть.
— Нет.

в городе в деревне и т.д.	есть (был, была)	гостиница музей театр стадион и т.д.

в городе в деревне и т.д.	нет (не было)	гостиницы музея театра стадиона и т.д.

2. Желание, возможность, необходимость, совет

— Вы не хотите пойти на балет?
— Не хотите ли пойти на балет?

— Конечно, хочу.
— Очень хочу.
— Пойду с удовольствием.
— К сожалению, нет.
— Очень жаль, но не смогу.
— Нет, не смогу.

Я хочу
Я хотел(а) бы
Мы хотели бы

- пойти / поехать
  - **куда-либо.**
  - в кино.
  - в театр.
  - на выставку и т.д.
- послушать / посмотреть
  - **что-либо.**
  - концерт.
  - оперу.
  - спектакль и т.д.
- увидеть
  - **что-либо.**
  - стадион Лужники.
  - новое здание МГУ.
  - **кого-либо.**
  - этого писателя.
- купить / достать / приобрести
  - **что-либо.**
  - этот диск.
  - эту книгу.
  - этот альбом и т.д.
- встретиться / познакомиться
  - **с кем-либо.**
  - с этим артистом.
  - с этим писателем.
  - с этим поэтом.

Могу ли я
Можем ли мы
Я могу

- пойти …
- поехать …
- посмотреть … и т.д.

Можно ли

- сегодня
- завтра
- послезавтра

- пойти …
- поехать …
- посмотреть …

Где можно

- послушать …
- посмотреть …
- купить …

Мне
Нам

- **нужно**
- **необходимо**

- пойти …
- поехать …
- посмотреть …
- увидеть …
- встретиться … и т.д.

Я { **должен** / **должна**
Мы { **должны**

{ пойти … / поехать … / посмотреть … / увидеть … / встретиться … и т.д.

Мне / **Нам**
- **нужен** { экскурсовод. / переводчик. / словарь и т.д.
- **нужна** { программа и т.д.
- **нужны** { билеты и т.д.

— Где бы вы посоветовали нам побывать?	— На этой выставке.
— Куда бы вы посоветовали нам сходить?	— На эту выставку.
— Что бы вы посоветовали нам посмотреть?	— Эту выставку.

Советую вам побывать { **где?** на этой выставке. / на этом спектакле. / в этом музее и т.д.

Советую вам сходить (съездить) { **куда?** на эту выставку. / на этот спектакль. / в этот музей и т.д.

Советую вам посмотреть (послушать) { **что?** эту выставку. / этот спектакль. / эту оперу и т.д.

3. Место и направление

— Где находится буфет /Где буфет/?	— Внизу.
— Куда мы идём?	— Вниз.

телефон-автомат киоск почта парикмахерская справочное бюро буфет ресторан и т.д.	**находится**	здесь там наверху внизу слева справа рядом с чем-либо напротив чего-либо около чего-либо

Я иду **Мы идём**	сюда. туда. наверх. вниз. направо. налево.

— Где находится эта гостиница? — В центре.
— Куда мы едем? — В центр.

гостиница театр музей стадион универмаг магазин поликлиника	**находится**	в центре на Красной площади на площади Искусств на площади Пушкина на улице Чехова на Ленинском проспекте и т.д.

Мы идём **Мы едем**	в центр. на Красную площадь. на площадь Маяковского. на площадь Пушкина. на улицу Чехова. на Ленинский проспект и т.д.

— Как проехать к этой гостинице?
— На пятом автобусе до остановки ...

до центра до этой гостиницы до этого театра музея и т.д.	**можно доехать**	на этом автобусе на этом троллейбусе на этом трамвае на метро	на автобусе № … на троллейбусе № … на трамвае № … на метро

Вам нужно ехать	на автобусе № … на троллейбусе № … на трамвае № …	до остановки …
	на метро	до станции …

— Какой автобус идёт до центра? — Пятый.
— Куда идёт этот автобус? — К центру./До центра.

первый третий пятый и т.д.	автобус троллейбус трамвай	автобус № … троллейбус № … трамвай № …	**идёт**	до центра до этой гостиницы до Большого театра

— Как пройти к этому кинотеатру?
— Идите прямо и налево.

Идите	прямо. направо. налево. до площади … до улицы … до угла и т.д.

4. Время

— Когда начинается этот спектакль?
— В 7 часов вечера.
— Когда открывается этот магазин?
— В 10 часов утра.

этот спектакль этот сеанс этот концерт и т.д.	**начинается** **кончается**	в 12 часов в 7 часов в половине восьмого (в 7 часов 30 минут) и т.д.

выставка музей универмаг и т.д.	**открывается** **закрывается**	в 10 часов утра в 7 часов вечера и т.д.

кассы	**открываются** **закрываются**	в 10 часов утра в 7 часов вечера и т.д.

магазин сбербанк	**закрыт**	**на перерыв**	с часу до двух с двух до трёх
фотоателье	**закрыто**		
касса	**закрыта**		

— Сколько времени продолжается антракт?
— 15 минут.

антракт перерыв спектакль концерт фильм и т.д.	**продолжается**	15 минут час полтора часа два часа и т.д.

— В какие дни недели работает этот музей?
— Всю неделю, кроме понедельника.
— В какой день недели этот музей закрыт?
— В понедельник.

музей выставка сбербанк универмаг магазин и т.д.	**работает** **(открыт, открыта)**	в воскресенье в понедельник во вторник в среду в четверг в пятницу

музей	**закрыт**	в понедельник
выставка	**закрыта**	во вторник
ателье и т.д.	**закрыто**	в воскресенье

Время по часам

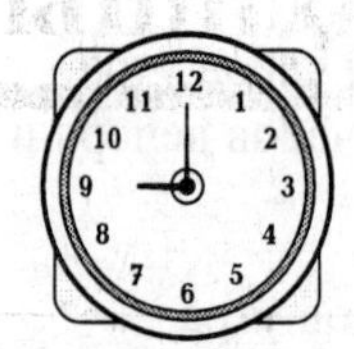

Девять часов
а) Девять часов[1]
б) Двадцать один час[2]

Пять минут десятого
а) Девять часов пять минут
б) Двадцать один час пять минут

Пятнадцать минут десятого
(четверть десятого)
а) Девять часов пятнадцать минут
б) Двадцать один час пятнадцать минут

Половина девятого
а) Восемь часов тридцать минут
б) Двадцать часов тридцать минут

Без двадцати девять
а) Восемь часов сорок минут
б) Двадцать часов сорок минут

Без пятнадцати девять
(без четверти девять)
а) Восемь часов сорок пять минут
б) Двадцать часов сорок пять минут

---

[1] с 12 часов ночи до 12 часов дня

[2] после 12 часов дня

Обобщающие грамматические таблицы

Существительные на -ь

Мужской род		Женский род		
автомобиль	медведь	бандероль	любовь	площадь
ансамбль	ноль	болезнь	мать	постель
гвоздь	огонь	боль	мебель	роль
госпиталь	портфель	власть	мысль	связь
гость	путь	грудь	обувь	смерть
день	рояль	дверь	осень	соль
дождь	рубль	жизнь	очередь	степь
зверь	словарь	кровать	память	тетрадь
календарь	спектакль	кровь	печаль	цель
камень	фестиваль	лошадь	повесть	часть
корень	фонарь			честь

Названия месяцев		Существительные на **-ь** после **ж, ш, ч, щ**	
январь	июль	вещь	ночь
февраль	сентябрь	глушь	молодёжь
апрель	октябрь	дочь	помощь
июнь	ноябрь		
	декабрь		

Существительные с суффиксом **-тель**	Существительное с суффиксом **-ость**
учитель	радость
писатель	молодость
читатель	старость

Основные значения предлогов

Падеж	Предлог	Вопрос	Пример
Род. п	**из**	откуда?	выйти **из** комнаты
	с	откуда?	уйти **с** выставки
	от	откуда?	отойти **от** дома
		от кого?	уйти **от** врача
	у	где?	стол **у** окна
		у кого?	быть **у** врача
	около	где?	магазин **около** гостиницы
	напротив	где?	магазин **напротив** гостиницы
	недалеко от …	где?	магазин **недалеко от** гостиницы
	до	куда?	автобус идёт **до** центра
		когда?	встретиться **до** обеда
	после	когда?	вернуться **после** праздника
	с … до …	когда?	работать **с** утра **до** вечера
	без	какой?	чай **без** лимона
Дат. п.	**к**	куда?	идти **к** метро
	по	к кому?	пойти **к** врачу
		где?	идти **по** улице
		как?	говорить **по** телефону
			послать **по** почте
Вин. п.	**в**	куда?	пойти **в** кино
	на	когда?	встретиться **в** понедельник
		куда?	пойти **на** концерт
		на какое время?	приехать **на** неделю
	через	когда?	вернуться **через** день
	за	за что?	заплатить **за** покупки
Твор. п.	**с**	с кем?	говорить **с** братом
		чем?	кофе **с** молоком
	за	где?	остановка **за** углом
	над	где?	лампа **над** столом
	под	где?	чемодан **под** кроватью
	перед	где?	киоск **перед** домом
	рядом с …	где?	метро **рядом** с домом
Предл. п.	**о (об)**	о чём?	говорить **об** экскурсии
		о ком?	думать **о** друге
	в	где?	вещи **в** шкафу
		когда?	приехать **в** январе
	на	где?	книга **на** столе
		когда?	уехать **на** этой неделе

Имя, отчество и фамилия

Александр Васильевич Иванов Андрей Николаевич Фомин Валентин Александрович Петровский	Александра Васильевна Иванова Анна Николаевна Фомина Валентина Александровна Петровская

Образование отчества

Александр сын Сергея — Александр Сергеевич Иван сын Петра — Иван Петрович	Александра дочь Сергея — Александра Сергеевна Нина дочь Петра — Нина Петровна

Некоторые русские имена

Мужские имена		Женские имена	
Полное имя	Краткое имя	Полное имя	Краткое имя
Александр	Саша, Шура	Александра	Саша, Шура
Алексей	Алёша, Лёша	Анастасия	Настя
Андрей	Андрюша	Анна	Аня
Антон	Антон	Валентина	Валя
Валентин	Валя	Вера	Вера
Василий	Вася	Галина	Галя
Владимир	Володя, Вова	Евгения	Женя
Дмитрий	Дима, Митя	Екатерина	Катя
Евгений	Женя	Любовь	Люба
Иван	Ваня	Людмила	Люда, Мила
Константин	Костя	Марина	Марина
Максим	Макс	Мария	Маша
Михаил	Миша	Надежда	Надя
Николай	Коля	Наталья	Наташа
Олег	Алик	Нина	Нина
Пётр	Петя	Ольга	Оля
Сергей	Серёжа	Светлана	Света
Юрий	Юра	Софья	Соня
		Татьяна	Таня

Склонение имени, отчества и фамилии

Падеж	Имя, отчество, фамилия	
Именительный п.	Андрей Николаевич Иванов	(Фомин, Петровский)
Родительный п.	Андрея Николаевича Иванова	(Фомина, Петровского)
Дательный п.	Андрею Николаевичу Иванову	(Фомину, Петровскому)
Винительный п.	Андрея Николаевича Иванова	(Фомина, Петровского)
Творительный п.	Андреем Николаевичем Ивановым	(Фоминым, Петровским)
Предложный п.	об Андрее Николаевиче Иванове	(Фомине, Петровском)
Именительный п.	Анна Николаевна Иванова	(Фомина, Петровская)
Родительный п.	Анны Николаевны Ивановой	(Фоминой, Петровской)
Дательный п.	Анне Николаевне Ивановой	(Фоминой, Петровской)
Винительный п.	Анну Николаевну Иванову	(Фомину, Петровскую)
Творительный п.	Анной Николаевной Ивановой	(Фоминой, Петровской)
Предложный п.	об Анне Николаевне Ивановой	(Фоминой, Петровской)

Предлоги, выражающие пространственное значение (место и направление)

ГДЕ?					
Предлог	Падеж		Предлог	Падеж	
на	Предл.п.		**перед**	Твор.п.	
в	Предл.п.		**рядом с …** **около** **у**	Твор.п. Род.п. Род.п.	
над	Твор.п.		**напротив**	Род.п.	
под	Твор.п.		**недалеко от …**	Род.п.	
за	Твор.п.		**по**	Дат.п.	
Куда?					
в **на**	Вин.п.		**к** **до**	Дат.п. Род.п.	
Откуда?					
из	Род.п.		**от**	Род.п.	

Учебное издание

Овсиенко Юлия Георгиевна

РУССКИЙ ЯЗЫК

Книга 2

Средний этап обучения

Редактор: *М.А. Кастрикина*
Корректор: *В.К. Ячковская*
Компьютерная верстка: *Е.П. Бреславская*

Подписано в печать 29.03.2010 г. Формат 60x90/16
Объем 15,5 п.л. Тираж 2000 экз. Зак. 603

Издательство ЗАО «Русский язык». Курсы
125047, Москва, 1-я Тверская-Ямская ул., д. 18
Тел./факс: +7(495) 251-08-45; тел.: +7(495) 250-48-68

e-mail: ruskursy@gmail.com; rkursy@gmail.com; kursy@online.ru
www.rus-lang.ru

Отпечатано в ОАО «Щербинская типография»
117623, Москва, ул. Типографская, д. 10
Тел.: 659-2327

НОВИНКИ

Грамматические этюды / Г.В. Колосницына, М.Н. Макова, Л.Н. Шведова, Л.В. Шипицо

Пособие предназначается для иностранных учащихся, владеющих русским языком в объеме третьего сертификационного уровня. Грамматический курс рассчитан на 150–180 академических часов аудиторных занятий при условии активной самостоятельной работы студентов с текстовым материалом.

Овладение грамматическими навыками происходит в разных функциональных стилях русской речи.

Рассчитанный на продвинутый этап обучения учебный материал включает наиболее сложные вопросы грамматики:

– краткие формы прилагательных и причастий;
– выражение безличности;
– глаголы движения;
– вид русского глагола.

Широкая адресность грамматического курса, тщательная отработка материала в эмоционально-экспрессивном контексте позволяют учащимся овладеть сложными явлениями русской грамматики, подготовиться к сдаче тестов по русскому языку.

2006. — 184 с. ISBN 5-88337-081-0

Непропавшие сюжеты. Книга для чтения с комментарием и заданиями / А.С. Александрова, И.П. Кузьмич, Т.И. Мелентьева

В книге представлены художественные тексты как популярных в практике преподавания русского языка как иностранного авторов, так и не столь известных зарубежному читателю.

В пособие включены произведения малого жанра, частью адаптированные, частью — сокращённые незначительно.

Тексты снабжены серией лексико-грамматических упражнений, способствующих совершенствованию языковой компетенции, и заданий, направленных на развитие речевых навыков. Материал расположен по степени нарастания трудностей.

Адресована учащимся продвинутого этапа обучения.

2006. — 328 с. ISBN 5-88337-091-8